Xavier Bourdenet

présente

Le réalisme

La bibliothèque Gallimard

Florilège

« Un roman : c'est un miroir qu'on promène le long d'un chemin. » (Stendhal, *Le Rouge et le Noir*, 1830)

« La Société française allait être l'historien, je ne devais être que le secrétaire. En dressant l'inventaire des vices et des vertus, en rassemblant les principaux faits des passions, en peignant les caractères, en choisissant les événements principaux de la Société, en composant des types par la réunion des traits de plusieurs caractères homogènes, peut-être pouvais-je arriver à écrire l'histoire oubliée par tant d'historiens, celle des mœurs. » (Balzac, « Avant-Propos » de *La Comédie humaine*, 1842)

« La littérature prendra de plus en plus les allures de la science ; elle sera surtout *exposante*, ce qui ne veut pas dire didactique. Il faut faire des tableaux, montrer la nature telle qu'elle est, peindre le dessus et le dessous. » (Flaubert, lettre à Louise Colet, 6 avril 1853)

« Le réalisme conclut à la reproduction exacte, sincère, du milieu social, de l'époque où l'on vit. » (Duranty, *Réalisme*, 1856)

« La reproduction de la nature par l'homme ne sera jamais une *reproduction* ni une *imitation*, ce sera toujours une *interprétation*. » (Champfleury, *Le Réalisme*, 1857)

« Le roman depuis Balzac, n'a plus rien de commun avec ce que nos pères entendaient par ce roman. Le roman actuel se fait avec des *documents*, racontés ou relevés d'après nature, comme l'histoire se fait avec des documents écrits. » (Les Goncourt, *Journal*, 24 octobre 1864)

Ouvertures

Approches du réalisme

De quel réalisme parlons-nous ?

Le « réalisme » est une de ces notions d'esthétique et d'histoire littéraire aux contours flous et aux définitions changeantes. Il désigne un type de rapport entre l'art et la réalité. Mais ce rapport a été diversement défini au cours des siècles. Il y a globalement deux approches possibles de la notion :

1. Soit on en fait une notion transséculaire désignant la manière qu'a le texte littéraire de représenter le monde. Dans ce cas, on en fait un simple synonyme de *mimesis* et l'on renvoie à la définition proposée par le philosophe Aristote de l'art comme *mimesis*, c'est-à-dire « imitation de la nature ». Toute œuvre, de quelque époque qu'elle soit, peut alors être interrogée sous cet angle. C'est l'option choisie par Erich Auerbach dans son grand livre *Mimesis*, sous-titré « La représentation de la réalité dans la littérature occidentale » (publié pour la première fois en 1946) : son enquête remonte à Homère et montre que la littérature occidentale, par-delà les frontières et les nationalités, s'est construite sur l'approfondissement constant d'un réalisme dont le trait principal est la prise au sérieux et la transposition dramatique de la vie du peuple.

2. Soit on en fait un moment de l'histoire culturelle et littéraire du XIXe siècle, c'est-à-dire une esthétique située dans le temps et la politique, et l'on renvoie alors au mouvement réaliste illustré en France par Honoré de Balzac, Gustave Flaubert et Émile Zola. Le « réalisme »

est dans ce cas l'esthétique qui accompagne l'essor de la société industrielle et bourgeoise et qui s'inscrit en réaction au romantisme. Dans cette seconde acception, historique, du réalisme, il y a aussi une double approche possible :

– ou bien on limite le « réalisme » au mouvement fugace qui a revendiqué ce terme comme étiquette, à une phase « militante » où le réalisme a voulu s'ériger en doctrine de la modernité. Le « réalisme », coincé entre le « romantisme » et le « naturalisme » dans le défilé chronologique de l'histoire littéraire, correspond alors aux années 1850-1865 et renvoie aux « batailles » menées autour des deux Gustave – Courbet en peinture, Flaubert en littérature – et aux théorisations qu'en ont données Champfleury et Duranty ;

– ou bien on en fait une tendance qui traverse en profondeur la littérature du XIXe siècle, de Stendhal à Guy de Maupassant, voire, un peu plus tard, à Marcel Proust. Le réalisme déborde alors le strict cadre de la bataille des années 1850 et désigne une prise en charge critique de la société nouvelle, issue des révolutions à la fois politiques et industrielles qui secouent le XIXe siècle.

C'est cette dernière approche, historique mais large, qu'on privilégiera dans cet ouvrage. Ainsi conçu, le réalisme est une méthode : une représentation « objective » et vraie du réel, un « attachement à la reproduction de la nature sans idéal » (c'est la définition qu'en donne Littré en 1869), une « représentation du quotidien, au plus près du vécu, en puisant dans les choses vues, sans omettre le banal – qui est vérité de la vie » (selon la définition du critique Philippe Dufour). Mais aussi une visée : le réalisme propose une saisie critique du monde contemporain. Le romancier réaliste entend peindre la société moderne, s'en faire l'historien et le sociologue, pour penser son temps, en dégager les lignes de force, mettre en lumière les mécanismes sociaux. Dans l'avant-propos de sa vaste *Comédie humaine* (1842), Balzac s'assigne un but qui résume bien le réalisme tel que nous l'entendrons ici : il s'agit de faire par le roman « l'histoire et la critique de la société, l'analyse de ses maux et la discussion de ses principes ».

Généalogies du réalisme

La représentation objective, complète et rigoureuse du réel contemporain que se propose le réalisme du XIXe siècle ne surgit pas du néant. Sa généalogie puise au moins à trois sources : la tradition comique, l'essor du roman au XVIIIe siècle et le roman historique du début du XIXe.

La tradition comique : le quotidien comme ressort du burlesque

Avant le XVIIIe siècle, la prise en charge « réaliste » de la réalité dans un texte littéraire n'est concevable que dans les genres comiques et/ou considérés comme mineurs. Elle est exclue des grands genres. Au Moyen Âge, par exemple, seuls les fabliaux peuvent peindre une réalité quotidienne et triviale. Au XVIIe siècle, seule la veine de ce qu'on a appelé le « roman comique » fait place à la description de l'univers quotidien, de ce qui est considéré comme une matière littéraire non noble et se trouvant pour cela interdite de représentation romanesque (le roman du XVIIe siècle, fabuleux, précieux ou classique ne peut mettre en scène que des personnages nobles aux aventures héroïques et merveilleuses et ne prise guère la description réaliste). Le « roman comique », animé d'une verve burlesque et volontiers parodique, peut seul mettre en scène des personnages bas et évoluant dans un cadre réaliste. L'*Histoire comique de Francion* (1623) de Charles Sorel (1599 ?-1674) en est un exemple. Cette œuvre, dans laquelle on a parfois voulu voir le premier roman réaliste de la littérature française, retrace les années de formation de son héros éponyme, un gentilhomme breton envoyé à Paris pour étudier dans un collège mais plus intéressé à découvrir le monde, ses femmes et ses joies qu'à approfondir ses humanités. Le roman s'ouvre, selon l'expression de Sorel, aux « tableaux naturels de la vie humaine » et accueille toute une société ordinairement exclue des romans (épiques ou précieux) : poètes misérables mais vaniteux, prostituées, maquerelles, juges corrompus, mendiants, originaux un peu fous, honnêtes gens, pédants, etc. Chacun ou presque est pourvu de son registre de langue, est décrit dans ses vêtements spécifiques, ses activités, ses manières. Les détails de la vie quotidienne envahissent le roman. Mais le réalisme n'évite pas la simplification caricaturale : les paysans sont systématiquement grossiers, les bourgeois intéressés, les courtisans vaniteux et le petit peuple badaud. L'œuvre oscille donc entre burlesque, tentation réaliste et caricature satirique. C'est le cas également des deux autres grands représentants du roman comique au XVIIe : *Le Roman comique* (1651) de Paul Scarron (1610-1660), qui relate les aventures d'une troupe de comédiens (c'est le premier sens de « comique »), et *Le Roman bourgeois* (1666) d'Antoine Furetière (1619-1688), au titre oxymorique pour l'époque (un « bon » roman au XVIIe ne peut pas mettre en scène la bourgeoisie) et qui propose une satire de la justice et surtout de la classe qui l'alimente : la petite et moyenne bourgeoisie.

Ce n'est qu'à partir du XVIIIe siècle que la représentation réaliste de la vie quotidienne pourra se faire sans dimension burlesque, dans des textes à tonalité « sérieuse ».

Le XVIIIe siècle et le roman de l'individu

Une rupture avec la période classique – Le roman du XVIIIe siècle, en France mais aussi (et peut-être surtout) en Angleterre, s'oriente de plus en plus vers une attention à la réalité sociale et vers une nouvelle conception du personnage, plus individualisé qu'auparavant, posant ainsi les bases du réalisme du XIXe siècle : la retranscription d'un individu dans sa complexité, son identité à la fois personnelle et sociale, et la retranscription de son milieu. Nombre de ces romans mettent en scène le trajet d'un individu dans le monde concret, qu'il apprend à connaître tout en apprenant à se connaître. Ce sont, en France, les romans de Lesage (*Gil Blas*, 1715-1735), Marivaux (*La Vie de Marianne*, 1731-1741, *Le Paysan parvenu*, 1735), de l'abbé Prévost (*Manon Lescaut*, 1731), de Rousseau (*La Nouvelle Héloïse*, 1761), de Rétif de La Bretonne (*Le Paysan perverti*, 1775) ; en Angleterre, ceux de Daniel Defoe (*Robinson Crusoé*, 1719 ; *Moll Flanders*, 1722), Samuel Richardson (*Clarisse Harlowe*, 1748 ; *Pamela*, 1740) et, dans une moindre mesure, Henry Fielding (*Tom Jones*, 1749).

Ces romanciers représentent une rupture par rapport à la tradition classique caractérisée par un goût pour le général et l'universel : ils font du roman un compte rendu authentique de la véritable expérience des individus. Leurs personnages sont dotés d'une individualité, d'une conscience, d'un passé : ils sont attentifs à la construction de l'individu dans le temps. D'où, par exemple, l'importance qu'a prise au XVIIIe siècle la forme du roman épistolaire (Richardson, Rousseau, Laclos) qui met le lecteur directement en contact avec la conscience des personnages. D'où aussi l'essor de la forme du roman-Mémoires, où le personnage-narrateur âgé revient sur son passé, son histoire, et relate la formation de son identité. Marivaux en a joué en maître dans *La Vie de Marianne* et *Le Paysan parvenu*. C'était souligner la dimension historique de l'individu et arracher le personnage à la fixité de l'universel classique. Cette réorientation du roman accompagne et traduit un bouleversement épistémologique, initié notamment par le philosophe anglais John Locke qui a défini l'identité personnelle comme une identité de conscience à travers le temps.

La prise en compte du contemporain – De même, ces romanciers choisissent des personnages et des sujets contemporains et non plus rejetés dans le passé (comme c'était le cas dans *La Princesse de Clèves*), empruntés à l'histoire ou à la mythologie. Le monde contemporain devient le cadre du roman. Et même si la description du milieu est encore timide, elle n'en est pas moins déjà présente. Il y a chez Richardson, par exemple, un intérêt pour les intérieurs, chez Defoe une attention aux objets du quotidien. Chez Lesage, Marivaux ou Rétif de La Bretonne, le roman emprunte souvent la forme du récit d'apprentissage que le XIXe siècle développera et qui permet une peinture de différents milieux sociaux. Gil Blas, le héros de Lesage, évolue ainsi dans toutes les sphères : des auberges, où gueux, aventuriers et poètes désargentés se côtoient, jusqu'aux antichambres des ministres et aux salons des puissants, en passant par les petites gens et les bourgeois. Chez ces auteurs, le roman s'établit dans une atmosphère réaliste : c'est ainsi que Marivaux dépeint l'influence des conditions sociales sur le comportement des individus. Domestiques, petites gens, bourgeois, nobles, prêtres, défilent sous nos yeux dans un décor changeant : rues, boutiques, salons, etc. Le paysage urbain a dans *La Vie de Marianne* et *Le Paysan parvenu* une relative importance et l'évocation de la réalité sociale a une signification psychologique : les héros, Marianne et Jacob, sont confrontés à la société ; la première veut y faire reconnaître ses titres de noblesse, le second connaît une rapide ascension sociale en se faufilant dans une société ouverte aux transformations et aux brassages.

Le roman historique : l'histoire des mœurs

Le roman historique, renouvelé et refondé par le romancier écossais Walter Scott (1771-1832) au début du XIXe siècle, a eu une influence décisive, tant sur Balzac que sur Stendhal, et représente une étape essentielle vers le roman réaliste du XIXe siècle. De fait, c'est d'abord dans le roman historique à la Walter Scott que se manifeste cet intérêt pour les « mœurs » dont le roman réaliste fera une de ses lignes de force. Les œuvres de Scott connaissent un succès européen : *Ivanhoé* (1820), *Quentin Durward* (1823), *Le Talisman* (1825), par exemple, évoquent le Moyen Âge en en reconstituant l'atmosphère, les coutumes, les mœurs, l'habitat, les vêtements, etc., en une série de descriptions pittoresques qui visent à redonner aux époques décrites toute leur chair, à en recréer le quotidien. Ces œuvres bousculent les traditions de l'historiographie et assignent au roman un domaine laissé de côté par les historiens : l'existence quotidienne des diverses couches sociales. Elles mettent en scène des personnages typés, représentatifs des forces historiques antagonistes (Normands et Saxons par exemple dans *Ivanhoé*). Elles permettent ainsi d'interroger l'Histoire, de la penser. Walter Scott sera beaucoup imité pendant toute la Restauration, jusqu'en 1830. C'est sous son influence que Balzac décidera de devenir historien des mœurs modernes (et non plus passées).

Il n'est pas exagéré de dire qu'en liant la peinture des mœurs à une pensée critique de l'histoire le roman historique scottien ouvre la voie au roman réaliste, qui transposera ces dimensions dans la description du monde contemporain.

Jalons pour une évolution

On peut distinguer trois phases essentielles dans le développement du réalisme en France au XIXe siècle.

La phase de fondation : 1830-1848

Cette première phase, contemporaine du romantisme, correspond aux œuvres de Balzac et de Stendhal, qui posent les fondements de l'esthétique réaliste que tout le siècle développera. Stendhal (pseudonyme de Henri Beyle, 1783-1842) est surtout attentif à faire du roman une caisse de résonance de l'actualité, en particulier politique. L'idée de faire entrer la politique contemporaine dans le roman est timidement tentée dans *Armance* (1827), mais s'affirme surtout dans *Le Rouge et le Noir* (1830), formidable peinture de la Restauration, et *Lucien Leuwen* (roman inachevé composé en 1834-1836 et publié en 1894), tableau de la monarchie de Juillet. Par la masse de sa production, près de cent romans ou études regroupés en 1842 sous le titre général de *La Comédie humaine*, vaste projet encyclopédique qui vise à rendre compte de la totalité du réel contemporain, Honoré de Balzac (1799-1850) fait figure de père fondateur : il oriente définitivement la littérature du côté de l'étude de mœurs et tente de saisir par le roman la complexité de la société née du bouleversement révolutionnaire. Avec ces deux auteurs, le roman devient un instrument d'analyse de la société et de figuration de l'histoire.

La phase d'affirmation : 1848-1870

Cette deuxième phase, consécutive à l'échec des idéaux de la révolution de 1848, à la fin de l'« illusion lyrique » et à la mise en place d'un second Empire répressif et étouffant, correspond au moment où le « réalisme » s'affirme comme mouvement, se définit en un certain nombre de manifestes dus à Champfleury (1821-1889) et à Duranty (1833-1880) et devient l'esthétique dominante, tant en peinture qu'en littérature, avec pour mot d'ordre la liquidation du romantisme. Gustave Courbet (1819-1877) en est le principal acteur en peinture ; Gustave Flaubert (1821-1880) et les frères Jules (1830-1870) et Edmond (1822-1896) de Goncourt les plus grands représentants sur la scène littéraire. De *Madame Bovary* (1857, Flaubert) à *Germinie Lacerteux* (1865, Goncourt), s'affirme un roman nouveau, imprégné du modèle balzacien mais de plus en plus ouvert à l'insignifiance, à la platitude de la vie quotidienne tout en revendiquant un réel travail sur le style. C'est aussi le moment

Tableau chronologique

	Repères socio-politiques	Arts et lettres
1826		Apparition du mot « réalisme » dans son sens esthétique (*Mercure français du XIXe siècle*).
1829		Balzac, *Les Chouans*, premier roman du vaste ensemble (➜ 1850) qui prendra comme titre *La Comédie humaine* (*Eugénie Grandet*, *Le Médecin de campagne*, *Le Père Goriot*, *César Birotteau*, *Illusions perdues*, *Le Cousin Pons*, *Le Lys dans la vallée*...).
1830	Révolution de Juillet (27, 28, 29). Début de la monarchie de Juillet. Règne de Louis-Philippe (➜ 1848)	Stendhal, *Le Rouge et le Noir.* Balzac, *Scènes de la vie privée.*
1834-1839	Mouvements républicains. Lois liberticides (1835).	Emploi du mot « réalisme » dans *La Revue des Deux Mondes.* Stendhal, *Lucien Leuwen* (1834-1836) ; Balzac, *Le Père Goriot* (1835). Invention du daguerréotype, origine de la photographie.
1842		Décision de Balzac de regrouper ses œuvres sous le titre général *La Comédie humaine*, avec un avant-propos programmatique. Mort de Stendhal.
Vers 1845	Crise économique et financière (1846-1847).	Balzac, *Illusions perdues* (1837-1843). Les critiques artistiques (Théophile Gautier notamment) emploient couramment le mot « réalisme ».
1848	Révolution de Février. ➜ 1851 : IIe République.	
1849-1850		Courbet, *Une après-dînée à Ornans* ; *Un enterrement à Ornans*. Réunions, à la brasserie Andler, d'un cénacle réaliste autour de Courbet. Mort de Balzac (1850).
1851	Coup d'État de Louis-Napoléon Bonaparte (2 décembre) puis proclamation du second Empire (1852 ➜ 1870).	
1855		Exposition universelle de Paris. Exposition privée de Courbet intitulée *Le Réalisme* (catalogue par Champfleury). Querelle sur le réalisme dans le journal *L'Artiste*.
1856		Louis Duranty fonde sa revue *Réalisme.*
1857		Champfleury, *Le Réalisme* (recueil d'articles). Flaubert, *Madame Bovary* (procès).

1860-1861		Jules et Edmond de Goncourt, *Charles Demailly*, *Sœur Philomène*. Manet, *Olympia*.
1863		Salon des Refusés (Manet, *Le Déjeuner sur l'herbe*). Castagnary introduit le terme « naturalisme » dans son *Salon*.
1865		Goncourt, *Germinie Lacerteux* ; Claude Bernard, *Introduction à la médecine expérimentale*.
1866		Zola, *Mes haines* et *Mon Salon* : défense de la peinture moderne (Manet) et début de théorisation du « naturalisme ».
1867		Zola, *Thérèse Raquin* ; Goncourt, *Manette Salomon*.
1869		Flaubert, *L'Éducation sentimentale* ; Goncourt, *Madame Gervaisais*. Article « Réalisme » dans le *Dictionnaire de la langue française* d'Émile Littré.
1870	Guerre franco-prussienne. Défaite de Sedan. Chute du second Empire (4 sept.) et proclamation de la IIIe République (➜ 1940).	Mort de Jules de Goncourt.
1871	Insurrection de la Commune.	Zola, *La Fortune des Rougon*, premier volume des *Rougon-Macquart* (➜ 1893 : *La Curée*, *L'Assommoir*, *Nana*, *Au bonheur des dames*, *Germinal*, *La Bête humaine*, *L'Argent*...).
1875		Article « Réalisme » dans le *Grand Dictionnaire universel du XIXe siècle* de Pierre Larousse.
1877		Zola, *L'Assommoir* (violentes attaques dans la presse et réponse de Zola). Dîner du groupe naturaliste au restaurant Trapp. Flaubert, *Trois Contes*. Edmond de Goncourt, *La Fille Élisa*. Mort de Courbet. Troisième exposition impressionniste.
1879		E. de Goncourt, *Les Frères Zemganno*, importante préface (« écriture artiste »). Vallès, *L'Enfant*.
1880	Amnistie pour les Communards.	*Les Soirées de Médan* (Zola, Alexis, Céard, Hennique, Huysmans, Maupassant). Zola, *Le Roman expérimental*. Mort de Flaubert.
1885		Zola, *Germinal*. Maupassant, *Bel-Ami*.
1887		« Manifeste des Cinq » (Bonnetain, Descaves, Guiches, Margueritte, Rosny) contre *La Terre* de Zola. Maupassant, *Mont-Oriol*, *Le Horla*.
1888		Maupassant, *Pierre et Jean* précédé de l'étude sur « Le Roman » assimilant les réalistes à des « illusionnistes ».
1893		Zola, *Le Docteur Pascal*, dernier volume des *Rougon-Macquart*. Mort de Maupassant.

où le peuple, décrit de manière « réaliste », fait sa véritable apparition en littérature comme en peinture.

La phase de radicalisation : 1870-1893

Cette troisième phase, qui accompagne la montée du scientisme, correspond à la radicalisation des principes esthétiques du réalisme, opérée sous le nom de « naturalisme », essentiellement par Émile Zola (1840-1902), qui entreprend de donner à l'écrivain des modèles essentiellement scientifiques. Les préoccupations stylistiques d'un Flaubert ou des Goncourt semblent passer au second plan, au moins dans les déclarations d'intention. Zola et les naturalistes entendent faire du roman non pas seulement un lieu d'observation, mais aussi d'expérimentation. Comme Balzac, Zola dans sa grande fresque des *Rougon-Macquart* (vingt romans publiés de 1871 à 1893) entreprend de peindre la société contemporaine, à travers l'« histoire naturelle et sociale d'une famille sous le second Empire » (sous-titre des *Rougon-Macquart*). À côté de Zola, des auteurs comme Joris-Karl Huysmans (1848-1907) ou Guy de Maupassant (1850-1893) participent un temps au naturalisme avant de prendre leurs distances par rapport aux positions zoliennes jugées trop dogmatiques et d'en revenir, au moins pour Maupassant, à un modèle plus flaubertien.

Perspective 1

«La vérité, l'âpre vérité» : une littérature du réel

« *All is true* » : cette expression qui apparaît au début du *Père Goriot* (1835) de Balzac pourrait servir d'enseigne à toute l'entreprise réaliste, qui vise une littérature vraie. Stendhal de même, pour bien signifier la rupture avec la littérature romantique, choisit de placer en épigraphe au *Rouge et le Noir*, sans doute le premier vrai et grand roman réaliste du XIXe siècle, cette phrase attribuée à Danton : « La vérité, l'âpre vérité. » Avec le réalisme, le roman quitte la sphère de la fiction et de l'imaginaire pour s'installer au plus près du réel.

Une écriture du réel

Le mot et la chose

Le réalisme, au sens où nous l'entendons ici, désigne une posture esthétique caractéristique du XIXe siècle, qui vise à rendre compte du réel tel qu'il est, à donner une image sincère, fidèle et exacte de la réalité extérieure au texte. Il s'agit d'une nouvelle manière de concevoir le rapport de l'œuvre d'art au réel, qu'il soit naturel, historique ou social. L'œuvre ne se définit plus, comme dans le classicisme, par son rapport à un modèle littéraire qu'elle reprend et retravaille, mais dans son rapport à la réalité extra-textuelle contemporaine.

Les premières apparitions du mot – La première occurrence du terme « réalisme » prise dans cette acception semble remonter à 1826.

On la trouve dans un article du journal *Mercure français du XIXe siècle* : « Cette doctrine littéraire qui gagne tous les jours du terrain et qui conduirait à une fidèle imitation, non pas des chefs-d'œuvre de l'art, mais des originaux que nous offre la nature, pourrait très bien s'appeler le *réalisme* : ce serait suivant quelques apparences, la littérature dominante du XIXe siècle, la littérature du vrai. » Ces lignes sonnent comme une prophétie : c'est très exactement ce que l'histoire littéraire du XIXe siècle va montrer. Le terme « réalisme » est utilisé ensuite dans les années 1830 par des critiques littéraires (Hippolyte Fortoul ou Gustave Planche) pour désigner les œuvres faisant une large part au pittoresque, aux « descriptions extérieures » (H. Fortoul), aux détails concrets au détriment de la profondeur psychologique ou métaphysique. À l'époque, sous la plume de Gustave Planche, le terme est appliqué aux romans historiques de Victor Hugo (*Notre-Dame de Paris*) et aux drames, c'est-à-dire à des œuvres que nous classons aujourd'hui sous l'étiquette du romantisme, et pas du tout à Stendhal ou à Balzac, qui ne revendiquent pas le terme même s'ils seront par la suite considérés comme les pères fondateurs du roman réaliste. Dans les années 1840, on retrouve le mot « réalisme » en critique d'art pour désigner une nouvelle manière picturale. C'est de là que va partir le « scandale » réaliste et le sens du mot va se cristalliser autour de l'œuvre de Gustave Courbet (1819-1877) qui, au lendemain de la révolution de 1848, peint les classes populaires comme on ne l'avait jamais fait. À ce moment-là, le « réalisme » se trouve défini plus précisément, suscite la polémique et en vient à se comprendre comme l'antonyme de « romantisme ». Le réalisme est alors référé au matérialisme et au positivisme tandis que le romantisme est assimilé à l'idéalisme, à l'imagination.

Extension du mot – Mais le « réalisme » n'est pas seulement un mot, une étiquette commode, à ranger entre le romantisme et le symbolisme. Il désigne un certain nombre de principes esthétiques développés, globalement entre les années 1830 et les années 1870 et tout particulièrement dans les années 1850, par des auteurs dont certains, à commencer par Balzac et Stendhal, ignorent le mot même de « réalisme ». Ces auteurs cherchent, en se défaisant des conventions et des stéréotypes littéraires, à écrire le réel, à décrire la société de leur temps dans tous ses aspects, sous tous ses angles. Sans exclure a priori d'élément du champ de la représentation littéraire. Il s'agit de rendre compte du réel exhaustivement et l'art se trouve ainsi en prise directe sur le monde contemporain. Le réalisme se caractérise donc par une formidable extension du domaine de la littérature et de la peinture : tous les sujets, toutes les classes sociales, tous les secteurs de la société (le grand et le beau monde comme celui des bas-fonds) acquièrent une dignité artistique. Des groupes (populaires ou marginaux) qui en étaient jusque-là exclus entrent en littérature. Des sujets jusque-là réputés triviaux, grossiers ou insignifiants y trouvent place. Des questions, pudiquement évacuées par le classicisme et le romantisme, font leur apparition : les réalistes s'intéressent ainsi tout autant au corps de l'homme qu'à son âme, à ses médiocrités, à ses faiblesses qu'à sa noblesse et ses vertus, à ses conditions de vie matérielles qu'à sa psychologie.

Le réalisme ne vise plus seulement le « Beau » mais le vrai. C'est pourquoi on l'a immédiatement rapproché du développement des sciences au XIXe siècle. Le réaliste est un observateur et on a parfois assimilé son œuvre à un simple « traité », en lui déniant sa dimension proprement littéraire. Mais il est plus juste de dire que le réalisme est une manière de donner, par les moyens propres de l'art, une image fidèle de la société du moment.

Le visible

Refléter le réel dans sa complexité – L'image qui s'est rapidement imposée pour définir l'entreprise réaliste est celle de l'œuvre comme « miroir » du réel. C'est Stendhal qui, le premier, l'a explicitement proposée pour souligner sa volonté d'objectivité. Au chapitre 13 du premier livre du *Rouge et le Noir*, il attribue à l'historien Saint-Réal cette définition : « Un roman : c'est un miroir qu'on promène le long d'un chemin. » Plus loin (livre II, chapitre 19), il précise, en s'adressant au lecteur qui pourrait être surpris de le voir peindre les « habitudes sociales » peu reluisantes de la bonne société de 1830 :

> Eh monsieur, un roman est un miroir qui se promène sur une grande route. Tantôt il reflète à vos yeux l'azur des cieux, tantôt la fange des

bourbiers de la route. Et l'homme qui porte le miroir dans sa hotte sera par vous accusé d'être immoral ! Son miroir montre la fange, et vous accusez le miroir ! Accusez bien plutôt le grand chemin où est le bourbier, et plus encore l'inspecteur des routes qui laisse l'eau croupir et le bourbier se former.

Le roman réaliste peint l'azur mais aussi la fange : il est contrasté à l'image du réel, dont il prétend donner une image aussi objective que complète. Ce faisant, il pointe inévitablement les tensions, les failles de la société du moment (c'est ce que vient symboliser le négligent inspecteur des routes). Il les expose au lecteur, qui ne peut plus détourner le regard. C'est là sa portée critique : instrument d'exploration et de description du réel, il est aussi un moyen d'analyse de la société, de révélation de ses mécanismes et de sa complexité. La métaphore du roman-miroir est filée par Stendhal : on la trouve dans *Armance* (1827) comme dans *Lucien Leuwen* (1834-1836). Elle traduit un idéal de transparence, d'objectivité, de reproduction immédiate du réel par le texte tout comme une impartialité affichée de l'auteur : « De quel parti est un miroir ? » demande Stendhal dans l'avant-propos d'*Armance*. D'aucun, évidemment. Le romancier réaliste se pose ainsi en montreur du réel. La correspondance de Flaubert, véritable discours de la méthode du romancier réaliste, ne cesse de réaffirmer cette exigence d'observation et d'exposition. Dans une lettre à son amie Louise Colet du 6 avril 1853, Flaubert pronostique ainsi : « La littérature prendra de plus en plus les allures de la science ; elle sera surtout *exposante*, ce qui ne veut pas dire didactique. Il faut faire des tableaux, montrer la nature telle qu'elle est, peindre le dessus et le dessous. »

Voir et faire voir – Tout au long du siècle, le réalisme s'est souvent défini par référence aux techniques de l'œil et de la reproduction. Les réalistes, pour qui le don de voir, les qualités d'observateur sont essentiels, ont le goût des instruments optiques, dont ils font les métaphores privilégiées de leur exigence de rendu du réel, de leur ambition mimétique : miroir, daguerréotype (inventé en 1838) puis photographie, qui exposent la surface visible des choses et dessinent un idéal de reproduction totale et exacte du monde. Si Flaubert détestait la photographie comme un concurrent inepte de son art, les Goncourt en revanche s'y intéressaient sérieusement et Zola la pratiquait abondamment à la fin de sa vie. Les images qui s'imposent pour définir le rapport du texte au monde sont celles de la transparence, de la « vitre » (métaphore utilisée par Maupassant dans la préface de *Pierre et Jean*, 1888).

Dans une lettre à son ami Antony Valabrègue du 18 août 1864, Zola présente une théorie des « écrans » qui assigne clairement au réalisme cet idéal de transparence. Après avoir noté que « toute œuvre d'art est comme une fenêtre ouverte sur la création », sur le monde, et précisé qu'il y a dans l'embrasure de cette fenêtre une sorte d'écran, ou de filtre, à travers lequel on aperçoit les objets « plus ou moins déformés », il distingue trois sortes d'écrans — « l'écran classique », qui ternit les couleurs mais dégage la pureté des lignes, « l'écran romantique », qui fait éclater les couleurs mais brouille le dessin, et « l'écran réaliste », ainsi défini :

> L'écran réaliste est un simple verre à vitre, très mince, très clair, et qui a la prétention d'être si parfaitement transparent que les images le traversent et se reproduisent ensuite dans toute leur réalité. Ainsi, point de changement dans les lignes ni dans les couleurs : une reproduction exacte, franche et naïve. L'écran réaliste nie sa propre existence. [...] L'écran réaliste, le dernier qui se soit produit dans l'art contemporain, est une vitre unie, très transparente sans être très limpide, donnant des images aussi fidèles qu'un écran peut en donner.

Assimilée à un miroir ou à une vitre transparente, l'œuvre réaliste se présente comme un réceptacle du monde.

Toutefois, et Zola sera un de ceux qui le souligneront le plus fortement, le tempérament de l'écrivain, son regard propre, interviennent forcément dans le rendu et la description du réel. Zola définira l'œuvre d'art comme « un coin de la création vu à travers un tempérament ». C'est là que se marque la limite du rapprochement du réalisme et de la photographie. Dans une lettre à Taine, Flaubert notera justement que l'œil « idéalise » sans doute, c'est-à-dire choisit, sélectionne le réel et le teinte d'une couleur particulière : « Observez notre étonnement devant une épreuve photographique, poursuit-il. Ce n'est jamais ça qu'on a vu. » Il ira même jusqu'à dire (lettre du 2 février 1880 à Léon

Hennique) : « Il n'y a pas de Vrai ! Il n'y a que des manières de voir. Est-ce que la photographie est ressemblante ? » Façon de souligner que le regard de l'artiste ne reproduit pas mécaniquement le réel, il le constitue, lui donne une couleur spécifique. Le « réel » que visent les réalistes sera donc tout autant le résultat d'une construction littéraire qu'un ensemble de choses extérieures au texte. Un regard sur les choses plutôt que les choses elles-mêmes.

Un contre-romantisme ?

Entre héritage... – L'histoire littéraire a pour habitude d'opposer réalisme et romantisme, de faire du premier le contre-pied exact du second. Pour être globalement pertinente, comme on va le voir, cette opposition n'en appelle pas moins à être légèrement nuancée. On a vu que le mot même de « réalisme » avait d'abord été appliqué à des œuvres relevant pour nous du romantisme. De même, Stendhal et Balzac, les deux figures fondatrices du roman réaliste, sont aussi deux auteurs majeurs du romantisme. Et, sur deux points au moins, le réalisme hérite directement du romantisme : l'idée d'une littérature actuelle, en prise sur l'histoire contemporaine ; celle d'une prise en charge littéraire de la laideur du monde. Le premier point est clairement illustré par Stendhal, qui, dans *Racine et Shakespeare* (pamphlet qui connaît deux versions, 1823 et 1825), définit le *romanticisme* (terme forgé sur l'italien *romanticismo*) comme une littérature du présent : « Le *romanticisme* est l'art de présenter aux peuples les œuvres littéraires qui, dans l'état actuel de leurs habitudes et de leurs croyances, sont susceptibles de leur donner le plus de plaisir possible. » Le second point est illustré par la part réservée au grotesque et à la laideur dans l'esthétique d'un Victor Hugo : en 1827, dans la préface de *Cromwell*, un des textes définitoires du romantisme, Hugo remet en cause l'idée d'une universalité du Beau (sur laquelle est fondé le classicisme) et revendique une place pour le laid, élargissant ainsi le champ de la représentation littéraire. Bien entendu, les réalistes iront plus loin que Hugo dans cette voie, mais il reste que sans cette ouverture du champ proposée par le romantisme le réalisme n'eût sans doute pas pu voir le jour.

... et réaction – Ces deux points rappelés, on peut alors à bon droit noter que le réalisme s'inscrit aussi en réaction contre le romantisme. Contre un romantisme qui, privilégiant souvent l'imagination et l'interrogation métaphysique, ne donne guère une image concrète et fidèle du monde. Mais surtout contre un romantisme conçu comme une littérature conventionnelle et stéréotypée, comme un nouvel académisme, et comme une littérature de l'outrance, tant émotionnelle que rhétorique et stylistique. Le parcours de Gustave Flaubert est un excellent exemple de la manière dont le réalisme cherche à se déprendre du romantisme, à s'écrire en réaction contre lui : « Il y a en moi, littérairement parlant, écrit-il en 1852, deux bonshommes distincts : un qui est épris de gueulades, de lyrisme, de grands vols d'aigles, de toutes les sonorités de la phrase et des sommets de l'idée ; un autre qui creuse et fouille le vrai tant qu'il peut. » Le jeune Flaubert ne rêve que passions et aventures et ses premiers textes sont en effet d'un romantisme exacerbé, marqués du goût pour le lyrisme, la démesure, l'excès, l'exubérance qui caractérisent la tradition romantique. Sous des formes diverses, le jeune homme y livre l'expression amère et tumultueuse de son mal de vivre : *Passion et vertu* (1837) – histoire d'une folie amoureuse qui se termine par le suicide –, *Les Mémoires d'un fou* (1838), *Novembre* (1842) – deux fragments d'autobiographie romancée censée livrer « une âme tout entière » –, *Smarh* (1839) – première ébauche d'une œuvre que Flaubert retravaillera régulièrement : *La Tentation de saint Antoine* –, etc. La première version de *L'Éducation sentimentale* (1845) est une approche du genre romanesque, qui permet déjà à Flaubert de mettre le moi à distance et de domestiquer les élans lyriques. En 1857, *Madame Bovary* marque une rupture profonde : l'ère du lyrisme échevelé, de la confession hyperbolique d'un moi, est révolue. Il s'agit d'adopter une posture impersonnelle, d'abstraire totalement le moi du texte (« rien dans ce livre n'est tiré de moi ; jamais ma personnalité ne m'aura été plus inutile », écrit Flaubert à propos de *Madame Bovary* dans une lettre du 6 avril 1853), de peindre une vie insipide, sans éclat, qui interdit les facilités du dramatique et de la crise, de faire passer les « mœurs » et la vie de province au premier plan.

En outre, *Madame Bovary* met en abyme ce rapport du réalisme au romantisme, à travers le personnage d'Emma. L'héroïne a en effet l'esprit encombré de lectures, dont la description permet à Flaubert d'inscrire dans le roman la littérature romantique stéréotypée contre laquelle il se construit. Dans ses années de couvent, Emma lit des romans à la dérobée (1re partie, chapitre 6) :

> Ce n'étaient qu'amours, amants, amantes, dames persécutées s'évanouissant dans des pavillons solitaires, postillons qu'on tue à tous les relais, chevaux qu'on crève à toutes les pages, forêts sombres, troubles du cœur, serments, sanglots, larmes et baisers, nacelles au clair de lune, rossignols dans les bosquets, *messieurs* braves comme des lions, doux comme des agneaux, vertueux comme on ne l'est pas, toujours bien mis, et qui pleurent comme des urnes. Pendant six mois, à quinze ans, Emma se graissa donc les mains à cette poussière des vieux cabinets de lecture.

La décapante ironie flaubertienne fait défiler ici la littérature romantique comme un ensemble de clichés et de stéréotypes tous plus irréalistes les uns que les autres, au piège desquels Emma se laisse prendre. Le roman de Flaubert montre alors l'inadéquation du rêve, du stéréotype romantique, à la réalité ; il confronte douloureusement l'un à l'autre : le mariage d'Emma correspondra bien peu aux passions rossignolesques et clair-de-lunesques de ses lectures... Le drame d'Emma Bovary tient tout entier au mensonge de la littérature romantique qui a fait d'elle un personnage inadapté au réel. Par cette mise en scène habile et d'une ironie cruelle, Flaubert fait de *Madame Bovary* l'exemple paradigmatique d'une littérature réaliste conçue et construite comme le démenti cinglant des mirages et des mensonges romantiques.

La bataille réaliste

C'est au lendemain de la révolution de 1848, vers 1850, que se cristallise ce qu'on peut appeler la « bataille réaliste ». À ce moment-là, et pour une vingtaine d'années, la question du « réalisme » occupe le devant de la scène littéraire, provoque la polémique, devient un étendard qu'on revendique ou qu'on dénigre, une notion, une nouvelle esthétique qu'on tente de théoriser. Sans devenir à proprement parler une « école », le réalisme est alors une mouvance aux limites floues qui se confond un peu avec l'avant-garde, la jeunesse artistique, une prise de position esthétique qui regroupe un certain nombre de peintres et d'écrivains.

En peinture : Courbet, figure de proue du réalisme

Les raisons d'un scandale – C'est d'abord dans le domaine pictural que cette bataille prend place, autour de l'œuvre de Gustave Courbet (1819-1877). Ce peintre franc-comtois, au tempérament fort et anticonformiste, fut l'élève de Géricault et de Delacroix avant de prendre la tête du mouvement réaliste en peinture. De 1848 à 1851, Courbet expose quatre toiles qui font scandale : *Une après-dînée à Ornans*, *Les Casseurs de pierre* (détruits pendant la Seconde Guerre mondiale), *Les Paysans de Flagey revenant de la foire*, et surtout *Un enterrement à Ornans*. Toutes décrivent le monde simple et fruste des paysans franc-comtois, sans idéalisation aucune. *Une après-dînée à Ornans*, exposée

Une après-dînée à Ornans de Gustave Courbet (1819-1877).

au Salon de 1849, représente trois hommes assis autour d'une table dans une salle de ferme, un quatrième jouant du violon. Le plus âgé (le père de Courbet) s'est assoupi, un autre bourre sa pipe. Au premier plan : un chien. Le scandale vient de ce que Courbet a choisi de traiter ce moment de vie quotidienne dans le format habituellement réservé à la « grande » peinture (religieuse, mythologique ou historique). Traiter un tel sujet, relevant de la banalité ou de la trivialité de la vie quotidienne paysanne, sur une toile de 1,95 m x 2, 57 m (soit presque grandeur nature) fait figure de sacrilège. Le scandale vient également de l'absence d'idéalisation. Car ce type de scène n'est pas nouveau en peinture. Ce qui l'est, outre le format, c'est que Courbet ne cherche pas à célébrer les vertus des humbles (comme l'avaient fait un Le Nain ou un Greuze) et encore moins à en donner une image idéalisée (comme le fait son contemporain Millet [1814-1875] pour qui la peinture devait « faire servir ce qui est banal à l'expression du sublime »). Le tableau de Courbet ne vise aucun message édifiant et ne respecte aucun des codes convenus. La position du peintre vis-à-vis de son sujet est celle d'une neutralité affective.

Un enterrement à Ornans (1849) provoque le scandale pour les mêmes raisons : dans une toile de 3, 14 m sur 6, 63 m, les gens du village sont représentés grandeur nature. Le tableau, où se massent une cinquantaine de personnages, dont des bedeaux au nez rouge qui ont fait couler beaucoup d'encre, efface les distinctions et ne permet aucune concentration sur un point central d'où pourrait surgir une émotion religieuse. La composition du tableau en une longue bande ou frise de figures endimanchées renvoie à une esthétique de la platitude et ne permet pas l'ouverture d'un espace de la profondeur ou de la spiritualité venant transfigurer la matérialité du monde. Le sujet même du tableau (et son titre) devrait susciter l'émotion religieuse, or rien de tel : par l'absence de perspective et de hiérarchie, le genre et les conventions picturales sont totalement subvertis par Courbet.

Une peinture politique – L'art de Courbet a en outre une évidente portée politique, qui dérange. Son « réalisme », donnant à voir des figures du peuple, est reçu comme une revendication « démocratique ». Ses *Casseurs de pierre*, exposés au Salon de 1851, sont vus comme un programme politique et même qualifiés de « peinture socialiste ». Courbet se rapprochera d'ailleurs de Proudhon (1809-1865), l'un des fondateurs du socialisme français. Le réalisme, qui met à mal la hiérarchie traditionnelle, académique, des sujets et traite sérieusement d'êtres humbles, ne peut pas ne pas être politiquement subversif, ne pas apparaître comme un art d'opposition dans une époque où l'on tente de restaurer ordre et morale et où domine la peur sociale face aux aspirations populaires à la représentation, tant politique qu'artistique. L'atelier de Courbet, rue Hautefeuille, et la brasserie Andler, non loin de là, deviennent à partir de 1848-1849 les lieux de réunion des tenants du réalisme. S'y retrouvent des peintres opposés au romantisme et à l'académisme et prenant leur sujet dans la réalité quotidienne (François Bonvin, Armand Gautier), le photographe Nadar, des critiques d'art (Castagnary), des écrivains (Baudelaire, Champfleury, et, en 1856, Duranty et Proudhon). Courbet rencontrera plus tard, au café Guerbois, Zola, Manet, et Fantin-Latour.

En 1855, certains tableaux de Courbet (*Un enterrement à Ornans* et *L'Atelier du peintre*) sont refusés à la section Peinture de l'Exposition universelle. Courbet décide alors d'organiser une exposition privée, intitulée « Gustave Courbet, DU RÉALISME » et présentant quarante de ses œuvres dans un pavillon spécialement bâti avenue Montaigne, à côté de l'exposition universelle. Le catalogue de l'exposition est précédé d'une brève préface-manifeste, très probablement rédigée par Champfleury, dans laquelle Courbet définit ainsi son entreprise : « Savoir pour pouvoir, telle fut ma pensée. Être à même de traduire les mœurs, les idées, l'aspect de mon époque, selon mon appréciation, en un mot, faire de l'art vivant, tel est mon but. » Cet « art vivant » suppose de faire foin de tous les académismes et de toutes les conventions qui entravent le choix des sujets et qui imposent la manière de les traiter. C'est une revendication de liberté pour l'artiste et Courbet, jusqu'à sa mort, malgré l'exil en Suisse et la ruine, demeurera un adversaire acharné de la « peinture de forme » et de tout académisme. Aux yeux des critiques, la grande exposition de 1855 fit passer Courbet pour « le chef de file de l'école du laid », à quoi l'on assimile alors le réalisme.

Un enterrement à Ornans de Courbet, ou un sujet intimiste et quotidien traité au format de la peinture d'histoire.

En littérature : le temps des manifestes

***Champfleury :* Le Réalisme** – Champfleury, de son vrai nom Jules Husson (1821-1889), ne nous est plus connu que pour avoir été l'ami de Courbet et, avec Louis Duranty, l'un des « théoriciens » du mouvement réaliste. Venu, comme ses amis Baudelaire et Nadar, de la bohème parisienne des années 1840 (qu'il peint dans *Chien-Caillou*, 1847), Champfleury se lie, en 1849, avec Courbet et Bonvin, deux peintres dont il loue les tableaux représentant la vie quotidienne du peuple sans idéalisation ni volonté d'édification. Il entreprend de défendre une écriture qui soit l'équivalent littéraire de la peinture de Courbet. C'est en 1850 qu'il utilise pour la première fois le terme « réalisme » afin de qualifier la peinture de Courbet. En 1857, Champfleury réunit un certain nombre de ses articles sous le titre *Le Réalisme*, texte qui fait figure de manifeste. Mais il s'agit plus de réflexions éparses que d'un réel corps de doctrine, Champfleury s'étant toujours déclaré hostile à l'idée d'« école » et méfié de ce que les étiquettes peuvent avoir de réducteur. Le but de Champfleury est de rompre avec une littérature idéalisante, fortement stéréotypée, de lutter contre l'enflure rhétorique et émotionnelle. Ce qui ressort de son ouvrage *Le Réalisme*, c'est que le romancier doit s'appuyer sur l'observation de la réalité et décrire des milieux qu'il connaît bien, avec un style plat, le plus neutre possible et compréhensible de tous. Le réalisme selon Champfleury se comprend donc comme une négation du style, c'est un « art simple, l'art qui consiste à prendre des idées "sans les faire danser sur la phrase", comme disait Jean-Paul Richter, l'art qui se fait modeste, l'art qui dédaigne les vains ornements du style, l'art qui creuse et qui cherche la nature comme les ouvriers cherchent l'eau dans un puits artésien ». Refus du style, pour s'approcher au plus près du réel. Les réalistes, pour Champfleury, ne forment pas à proprement parler une « école » mais regroupent tous les esprits qui, « fatigués des mensonges versifiés, des entêtements de la queue romantique, se retranchent dans l'étude de la nature, descendent jusqu'aux classes les plus basses, s'affranchissent du *beau* langage qui ne saurait être en harmonie avec les sujets qu'ils traitent ». C'est ce qui lui permet d'annexer sous la bannière du réalisme des auteurs européens, comme Dickens, Thackeray pour l'Angleterre, Gogol et Tourgueniev pour la Russie. Champfleury note encore judicieusement que le réalisme n'est pas la négation de l'auteur, que l'écrivain ne saurait être un pur « daguerréotypeur » qui reproduit mécaniquement le réel : le « tempérament particulier » de l'écrivain influe sur la couleur, la tonalité de l'image qu'il donne du réel : « La reproduction de la nature par l'homme ne sera jamais une *reproduction* ni une *imitation*, ce sera toujours une *interprétation.* » Il signifie ainsi, comme Zola après lui, l'importance du regard de l'artiste, de sa personnalité.

Champfleury a mis en pratique cette conception du réalisme dans plusieurs romans. *Les Aventures de mademoiselle Mariette* (1853) décrit le monde de la bohème, des littérateurs besogneux du Quartier latin mais sans idéalisation aucune, avec toute ses vulgarités et ses petitesses, ce qui marque une différence essentielle avec les pittoresques et peu crédibles *Scènes de la vie de bohème* (1848) de Henri Murger. La ville natale de Champfleury, Laon, lui fournit le cadre de plusieurs romans de la bourgeoisie : *Les Souffrances du professeur Delteil* (1853) décrit une bourgeoisie obtuse, rapace, étouffante et singulièrement méchante envers les naïfs et les sincères ; on la retrouve dans *Les Bourgeois de Molinchart* (1854) qui relatent un adultère comme dans *Monsieur de Boisdhyver* (1857), qui peint les tentatives de réforme d'un évêque modèle, échouant à cause de l'apathie et des préjugés des notables de la ville et de la jalousie de ses confrères. Dans tous ces textes, Champfleury apparaît comme le premier romancier à se limiter à la peinture exacte de la platitude de la vie quotidienne. Ces œuvres, célèbres en leur temps, sont aujourd'hui oubliées.

Duranty – Le second « théoricien » du réalisme au mitan du XIXe siècle est Louis Duranty (1833-1880). Après un bref passage dans l'administration, Duranty démissionne pour se consacrer à la littérature et à la critique (littéraire et artistique). C'est un fidèle des cafés Guerbois et de la Nouvelle-Athènes où se réunit l'avant-garde artistique. Il fait beaucoup pour la cause de ce qui allait devenir la peinture impressionniste en donnant des comptes rendus des expositions des « nouveaux » peintres et en leur consacrant une des premières études d'ensemble : *La Nouvelle Peinture, à propos du groupe d'artistes qui expose dans les galeries*

Durand-Ruel (1876). Mais, au milieu des années 1850, c'est dans le domaine littéraire qu'il tente d'imposer, en le théorisant, le « réalisme ». Reprenant et radicalisant les idées de Champfleury, il fonde avec Jules Assézat et le docteur Henri Thulié l'éphémère revue *Réalisme*, qui ne connut que six numéros (novembre 1856-mai 1857).

Les formules provocatrices y abondent, comme les attaques en règle contre le romantisme (Hugo, Lamartine, Musset), mais aussi contre certains contemporains (Flaubert). D'après cette revue, « le réalisme conclut à la reproduction exacte, sincère, du milieu social, de l'époque où l'on vit ». Le romancier doit donc décrire un milieu qu'il connaît et se tourner vers la monographie plutôt que la vaste entreprise comme *La Comédie humaine* ; fonder son écriture sur l'observation des mœurs contemporaines et délivrer un enseignement par le biais du sentiment et de l'émotion ; adopter le style le plus simple possible, accessible au public le plus large. Le romancier ne doit en aucune manière transfigurer la réalité, mais au contraire en rendre compte dans son désordre, son émiettement et sa platitude. La revue *Réalisme* est animée de l'idée que l'artiste a « un but philosophique, pratique, utile et non un but divertissant ». C'est ce qui explique la critique de *Madame Bovary* dans la revue : l'impersonnalité et l'impassibilité flaubertiennes gênent ces théoriciens qui assignent un but philosophique au roman. L'absence d'émotion et de sentiment dans *Madame Bovary* interdit l'enseignement moral, ce qu'on reprochera d'ailleurs assez à Flaubert lors de son procès.

Comme Champfleury, Duranty est passé de la théorie à la pratique. *Le Malheur d'Henriette Gérard* (1860), roman de mœurs, est le récit des amours contrariées d'une jeune fille qui s'ennuie dans son milieu dont elle voit les tares et qui veut épouser un jeune homme pauvre mais intelligent, Émile. Elle finit pourtant par céder à sa famille qui la marie à un homme âgé et riche, Émile se suicidant de désespoir. Henriette, vite veuve, épouse un riche amiral. *La Cause du beau Guillaume* (1862) peint un jeune bourgeois scandalisant un village de province par son idylle avec sa servante. Aux yeux de Zola, Duranty est « un des pionniers du naturalisme » par son refus du lyrisme et des artifices rhétoriques, mais surtout par la manière de conduire l'intrigue et de peindre un univers quotidien dans une écriture de la platitude : « c'est la vie mise en petits morceaux et reproduite avec son train-train de tous les jours », écrira Zola dans *Les Romanciers naturalistes* (1881).

Reste que ni Duranty ni Champfleury ne sont des romanciers de génie. Leur intérêt est surtout d'avoir donné une formulation théorique au bouillonnement réaliste des années 1850-1860.

Les ambiguïtés d'une étiquette

Dans les années 1850, « réalisme » devient donc un terme polémique revendiqué dans des textes à valeur de manifestes (Courbet, Champfleury, Duranty), mais aussi employé par des critiques artistiques et littéraires pour dénigrer l'esthétique nouvelle qui se met en place : c'est un terme, dit Champfleury, « inventé par les critiques comme une machine de guerre pour exciter à la haine contre une génération nouvelle ». Sous la plume de ces derniers, il a une forte valeur péjorative. Surtout, dans ces années, on tend à vouloir faire du « réalisme » une école, une bannière commode censée expliquer les œuvres et les choix des auteurs. Beaucoup de peintres ou d'écrivains réalistes ont progressivement résisté à cette classification, ont pris leurs distances avec un terme devenu une simple étiquette réductrice, pourvoyeuse de malentendus. Le cas de Flaubert est exemplaire : considéré comme le parangon de la littérature réaliste, il n'a cessé de rejeter une telle étiquette. Dans une lettre du 6 février 1876 à George Sand, il écrit : « Et notez que j'exècre ce qu'on est convenu d'appeler le *réalisme*, bien qu'on m'en fasse un des pontifes. » Son rejet de l'ainsi nommé « réalisme » est lié à la question du style. Le réalisme tel que le définissent ses théoriciens Champfleury ou Duranty, tel que l'entendent les critiques du moment, renvoie à une négation du style. Or, Flaubert veut exactement l'inverse : le style est pour lui la préoccupation essentielle. Ce qu'il cherche, c'est un « livre sur rien [...] qui se tiendrait de lui-même par la force interne de son style ». Et [illegible]la dès *Madame Bovary*, à propos duquel il écrit : « On me croit épris [illegible]éel, tandis que je l'exècre. Car c'est en haine du réalisme que j'ai [illegible]pris ce roman. Mais je n'en déteste pas moins la fausse idéalité, [illegible]nous sommes bernés par le temps qui court » (lettre du 30 octobre [illegible]à Mme Roger des Genettes). Politiquement, Flaubert se sent aussi très loin des sympathies démocratiques voire socialistes de certains « réalistes ». Courbet lui-même, pourtant promoteur de la notion, prend ses distances avec ce qui n'est devenu qu'un signe de ralliement. Dans le catalogue de son exposition de 1855, il déclare : « Le titre de réaliste m'a été imposé comme on a imposé aux hommes de 1830 le titre de romantiques. Les titres en aucun temps n'ont donné une idée juste des choses, s'il en était autrement les œuvres seraient superflues. »

Il faut donc insister sur le fait que le mot « réalisme », pris dans son acception « militante » des années 1850, ne rend pas compte de la tendance réaliste profonde qui traverse tout le XIXe siècle. Le réalisme comme catégorie esthétique excède de beaucoup les tentatives de théorisation qu'en ont données Champfleury et Duranty. Balzac et Stendhal, pères fondateurs du roman réaliste, ignorent le terme même de « réalisme ». Flaubert le rejette, Zola et ses confrères du groupe de Médan le remplaceront par « naturalisme ». Ce qu'on a appelé ici la « bataille réaliste » représente un temps fort de l'histoire littéraire du XIXe siècle, mais ne suffit aucunement à circonscrire le champ esthétique du réalisme.

Le scandale réaliste

Le laid et l'immoral

Ce qui est en revanche constant, c'est la portée subversive des œuvres réalistes, toujours reçues comme scandaleuses, outrageuses pour les convenances, le bon goût et la morale. Sur ce point, le réalisme se pose très clairement comme un art de la rupture. Aux yeux de leurs opposants, les réalistes, sous prétexte de peintures vraies, donnent presque toujours dans la laideur (critère renvoyant à un ensemble de normes esthétiques, à un académisme qui veut que l'art vise toujours le « beau ») et dans le mal (critère moral). L'image de l'homme qui se dégage des œuvres réalistes paraît le plus souvent démoralisante. Selon leurs censeurs, les réalistes font la part trop belle aux réalités sordides de même qu'aux actions et aux personnages condamnables, aux yeux de la morale établie.

C'est le cas en peinture où, on l'a vu, les tableaux de Courbet ont provoqué le scandale, tout comme, plus tard, dans les années 1860, ceux de Manet : son *Déjeuner sur l'herbe* fait scandale au Salon des refusés de 1863. Le sujet en est jugé inconvenant : la nudité féminine dans une scène contemporaine (contemporanéité qu'indique la tenue élégante, bourgeoise, des hommes) est reçue comme une provocation. Le réalisme en peinture est d'emblée ressenti comme potentiellement dangereux pour la morale. Ainsi *Le Retour de la conférence* de Courbet (tableau actuellement détruit qui représentait des prêtres ivres dans la campagne) est refusé au Salon de 1863 pour « outrage à la morale religieuse ».

La question se pose dans les mêmes termes en littérature. Le roman réaliste, qui peint souvent l'adultère et qui revendique la mise en scène de tous les types de personnages, y compris les marginaux (le forçat Vautrin chez Balzac, par exemple) et les criminels (songeons à Thérèse Raquin et Laurent, le couple des amants criminels chez Zola), est souvent conçu comme immoral. C'est un vieux débat. Les réalistes ne sont pas les premiers à être accusés d'immoralité : dans sa longue histoire, le genre romanesque a toujours été suspecté de saper les fondations de l'ordre moral, de peindre complaisamment des actions condamnables (en 1731 déjà, dans la préface de *Manon Lescaut*, l'abbé Prévost avait dû se défendre d'avoir voulu peindre une femme amorale cédant au plaisir). Mais l'accusation revient en force face au roman réaliste. Dès Balzac, qui a eu à plusieurs reprises à se défendre du reproche d'immoralité et des foudres des dames bien-pensantes. À tel point qu'il en vient, dans la préface de la première édition Werdet du *Père Goriot* (1835), à comptabiliser le nombre de « femmes vertueuses » et de « femmes criminelles » (c'est-à-dire essentiellement adultères) qu'il a créées pour montrer que les premières sont majoritaires dans ses romans !

… deux procès

… 7 est l'année critique du réalisme. Elle est marquée non seulement … affirmation théorique du mouvement réaliste avec le recueil de … pfleury, mais surtout par la publication de *Madame Bovary*, qui … sitôt apparue comme le parangon du roman réaliste et qui a valu à Flaubert un procès pour « outrage à la morale publique et religieuse et aux bonnes mœurs ». Le procès pose la question de la moralité d'une littérature représentant le réel sans fard. Dans cette peinture d'un adultère en province, Flaubert s'est inspiré d'un personnage réel, Alice-Delphine Delamare, rêveuse et fantasque, seconde épouse d'un officier de santé de Ry, qui s'éprend d'un bellâtre local puis d'un clerc de notaire avant de mourir mystérieusement, terriblement endettée. On a reproché à Flaubert, lors du procès, d'avoir peint des tableaux « lascifs », outrageux pour la morale, et d'avoir offensé la religion « dans des images voluptueuses mêlées aux choses sacrées ». Mais le reproche essentiel tient à l'impassibilité, à la neutralité du narrateur dans le roman. À aucun moment, il ne condamne Emma, et il n'y a aucun personnage dans le roman pour incarner le point de vue moral. Le réquisitoire du substitut Pinard le souligne justement : « Si dans tout le livre il n'y a pas un personnage qui puisse lui faire courber la tête, s'il n'y a pas une idée, une ligne en vertu de laquelle l'adultère soit flétri, c'est moi qui ai raison, le livre est immoral ! » Pinard, au cours du procès, attaque plus largement la littérature réaliste en faisant appel à la morale chrétienne :

> **Cette morale stigmatise la littérature réaliste, non pas parce qu'elle peint les passions : la haine, la vengeance, l'amour ; le monde ne vit que là-dessus, et l'art doit les peindre ; mais quand elle les peint sans frein, sans mesure. L'art sans règle n'est plus l'art ; c'est comme une femme qui quitterait tout vêtement. Imposer à l'art l'unique règle de la décence publique, ce n'est pas l'asservir, mais l'honorer. On ne grandit qu'avec une règle.**

Pouvant tout peindre, tout dire – et tel est bien son projet – le réalisme apparaît comme un art « sans frein », sans garde-fou à la fois esthétique et moral.

La même année 1857, Baudelaire sera traduit en justice, et condamné, pour avoir dans ses *Fleurs du mal* versé dans « un réalisme grossier et offensant pour la pudeur ». Le réalisme déchire les gazes et voiles pudiques de la morale. Par la suite, les « naturalistes » se feront presque une spécialité du scandale. Les critiques condamneront à l'envi ce qu'ils appelleront une « littérature putride » (jugement appliqué à *Thérèse*

Raquin, 1867, d'Émile Zola mais aussi à *Germinie Lacerteux*, 1865, des frères Goncourt), du dégoût et de l'égout, de la vulgarité et de l'obscénité, une boucherie littéraire, se complaisant dans la peinture du laid et du sordide et offensant constamment la morale publique. Zola en fera régulièrement les frais. *L'Assommoir* (1877) qui, en reproduisant le langage populaire des personnages, peint la déchéance progressive de la blanchisseuse Gervaise Macquart, sombrant dans l'alcoolisme dans le quartier parisien populaire de la Goutte d'Or, a déclenché les foudres des critiques : on a accusé Zola, dans des attaques d'une très grande violence, de « malpropreté », de « pornographie », de peindre des « turpitudes sans compensations, sans correctif, sans pudeur », le tout dans un style qui « pue ferme ».

à vous...

Lisez le réquisitoire et la plaidoirie du procès de *Madame Bovary* (ils figurent dans quasiment toutes les éditions du roman) et comparez les arguments avancés par les deux parties pour définir, défendre ou au contraire condamner le « réalisme ».

Perspective 2

« Raconteurs de présent » : le monde contemporain comme sujet

Chronique du temps présent

Le roman du présent

La société est nouvelle, comprenons-la ! – Le réalisme se veut chronique du temps présent. Il entend fournir aux lecteurs une peinture du monde contemporain qui leur permette de penser et de comprendre le présent du XIXe siècle. Un présent problématique, issu du bouleversement révolutionnaire de 1789, qui travaille en profondeur tout le siècle. C'est une société nouvelle qu'il s'agit de saisir. Une société qui a fait éclater les « ordres » anciens et a totalement redessiné les rapports de classes, où le destin des individus est devenu imprévisible, ouvert à de nouveaux possibles. Une société en constante évolution, soumise aux heurts rapprochés et violents d'une histoire toujours instable. Le siècle compte plusieurs révolutions (1789, 1830, 1848), des épisodes sanglants (les répressions des soulèvements républicains dans les années 1830 ou de la révolution de 1848, la Commune de 1871), une succession d'expériences politiques contradictoires (l'Empire, premier et second, la Restauration, la monarchie de Juillet, la République, deuxième et troisième) : le XIXe est un siècle particulièrement mouvementé où l'histoire et les tendances profondes de la société ne se laissent pas saisir aisément. L'entreprise réaliste se comprend comme une tentative de description à la fois explicative et critique de ce présent problématique. Le roman est conçu comme un instrument d'intelligibilité du présent, un outil de lecture du monde moderne. En le décrivant, il lui donne sens. C'est ce qui distingue le romancier de l'historien aux yeux des Goncourt : « Les historiens sont des raconteurs du passé, les romanciers sont des raconteurs du présent. » Ce que ces derniers font, toujours suivant les Goncourt, c'est « l'histoire de la société de ce temps-ci ». Une histoire du/au présent.

Chroniquer le présent – Stendhal, le premier, a résolument fait du roman une chronique du temps présent, un instrument de connaissance du contemporain. Les sous-titres d'*Armance* et du *Rouge et le Noir*, publiés respectivement en 1827 et 1830, sont révélateurs : « Quelques scènes d'un salon de Paris en 1827 » ; « Chronique de 1830 ». De même *Lucien Leuwen*, rédigé en 1834-1836, apparaît comme une chronique de ces deux années : il regorge d'allusions à l'actualité la plus immédiate et s'écrit à chaud, à partir des journaux que Stendhal transpose à peine dans un roman qui entend « peindre les habitudes de la société actuelle » et se veut la caisse de résonance des premières années de la monarchie de Juillet. Flaubert jouera pleinement de cet effet de contemporanéité dans la dernière phrase de *Madame Bovary*, consacrée au pharmacien Homais : « Il vient de recevoir la croix d'honneur. » Le présent (« il vient de recevoir ») dans lequel Homais est récompensé et qui contraste avec le passé employé dans tout le reste du récit est celui de Flaubert écrivant son roman. Le texte rejoint le présent de son auteur. De manière plus générale, toute l'entreprise balzacienne de *La Comédie humaine* est un formidable témoignage sur la société contemporaine, celle de la Restauration puis de la monarchie de Juillet. Il s'en revendique d'ailleurs clairement l'historien. Un trait stylistique balzacien, qui essaimera dans tout le roman réaliste par la suite, au point de devenir un de ses aspects les plus évidents, souligne l'insertion du texte dans l'histoire contemporaine. Il s'agit des phrases d'incipit qui posent une date et un lieu, sur le modèle de celle de *La Cousine Bette* :

> **Vers le milieu du mois de juillet de l'année 1838, une de ces voitures nouvellement mises en circulation sur les places de Paris et nommées des *milords* cheminait, rue de l'Université, portant un gros homme de taille moyenne en uniforme de capitaine de la Garde nationale.**

Un tel incipit *in medias res* inscrit le roman dans un espace-temps immédiatement reconnaissable et familier et enregistre les dernières évolutions des techniques et des pratiques (« nouvellement »). Même s'il s'écrit au passé, il scelle un « pacte d'actualité » (expression du critique Philippe Dufour) fondateur du roman réaliste.

Historiens des mœurs

L'attention portée au présent par les réalistes consiste avant tout en une étude des « mœurs » contemporaines. C'est par là que le réalisme initié par Balzac et Stendhal produit une véritable rénovation du roman. L'« Avant-Propos » de la *Comédie humaine* en est en quelque sorte le manifeste fondateur. Balzac ne s'y présente pas comme romancier mais comme historien qui entreprend de faire l'inventaire de la société française :

> Comment rendre intéressant le drame à trois ou quatre mille personnages que présente une Société ? [...] Le hasard est le plus grand romancier du monde : pour être fécond, il n'y a qu'à l'étudier. La Société française allait être l'historien, je ne devais être que le secrétaire. En dressant l'inventaire des vices et des vertus, en rassemblant les principaux faits des passions, en peignant les caractères, en choisissant les événements principaux de la Société, en composant des types par la réunion des traits de plusieurs caractères homogènes, peut-être pouvais-je arriver à écrire l'histoire oubliée par tant d'historiens, celle des mœurs. Avec beaucoup de patience et de courage, je réaliserais, sur la France, au XIXe siècle, ce livre que nous regrettons tous, que Rome, Athènes, Tyr, Memphis, la Perse, l'Inde, ne nous ont malheureusement pas laissé sur leurs civilisations.

Le romancier n'est plus qu'un simple « secrétaire » écrivant sous la dictée de la « Société » et en retraçant les « mœurs ». Ces dernières font entrer dans la vie privée des Français du XIXe siècle. L'histoire par le roman telle que Balzac la comprend, c'est une histoire de la vie quotidienne, des pratiques, des mentalités, de ce que Stendhal appelle les « habitudes sociales » d'une époque. Autant d'éléments que les historiens traditionnels, focalisés sur les événements politiques et militaires, négligeaient. Le matériau de cette nouvelle histoire, « romanesque », est foisonnant : tout, jusqu'au moindre élément de mobilier (d'où les fameuses descriptions balzaciennes) ou au nouveau moyen de transport (les « *milords* » du début de la *Cousine Bette* cités ci-dessus), y fait signe et sens. Jusque-là, la littérature était fondée essentiellement sur l'exploration psychologique et faisait peu de place au cadre, au milieu, dans lequel évoluaient les personnages. Balzac, au contraire, fait des « mœurs » la matière première du roman. Mœurs qui deviennent par excellence le symptôme des forces qui travaillent en profondeur la société et qui permettent d'en comprendre le mouvement. Toute la littérature réaliste porte cette empreinte balzacienne, tant le roman (*Madame Bovary* a comme sous-titre « Mœurs de province ») que la nouvelle : *Colomba* (1840), histoire d'une vengeance, est pour Mérimée l'occasion de peindre les mœurs corses, caractérisées par la persistance de pratiques ancestrales (la vendetta), dans une approche presque ethnographique qu'on retrouve dans *Carmen* (1845) à propos de la vie des Gitans espagnols.

Cette attention aux mœurs, dont Balzac fait l'objet même de son entreprise romanesque, trouve son origine, on l'a vu, dans la tradition du roman historique établie par Walter Scott, en qui les premiers réalistes, Balzac et Stendhal, ont salué un rénovateur du roman. En effet, Scott s'est détourné du roman psychologique et a fait entrer l'histoire dans le roman en posant les forces sociales en présence, les clivages travaillant la société, et en peignant de manière « pittoresque » les mœurs du passé : il décrivait les coutumes, les façons de se vêtir, le type de mobilier des époques du Moyen Âge dans *Ivanhoé* (1819) ou *Quentin Durward* (1823). Le projet de Balzac comme de Stendhal est inspiré de Scott : il s'agit de faire pour le présent, pour la société du XIXe siècle, ce que le romancier écossais n'a fait que pour le passé. Le roman réaliste est en quelque sorte un roman historique du présent.

Mutations : le XIXe siècle au miroir

Mutations socio-économiques

Peintres du présent, historiens des mœurs, les réalistes mettent aussi en scène les grandes mutations socio-économiques d'un siècle caractérisé par l'essor définitif de la puissance de l'argent, par la révolution industrielle, qui provoque une redéfinition des rapports entre les classes sociales, par l'essor de nouvelles pratiques (le tourisme par exemple) qui redessinent la géographie du pays. Le réalisme apparaît comme une figuration des forces transformatrices profondes de la société du XIXe siècle. Il saisit le mouvement de la société, ses lignes de force.

L'invention de la province – Le réalisme explore une nouvelle géographie littéraire, une France née de 1789 et caractérisée par l'opposition Paris / province, qui est une nouveauté du XIXe siècle. Auparavant, en effet, l'espace s'organisait entre la Cour (Versailles, le pouvoir royal), la Ville (Paris) et « les » Provinces, socialement autonomes autour de leurs prélats et de leurs princes. La centralisation et la départementalisation révolutionnaires ont créé un espace nouveau, clivé entre la capitale, lieu de tous les pouvoirs et de tous les prestiges, et « la » province, négativement définie et unifiée par sa dépendance politique et sociale à l'égard de la capitale, comme par son éloignement et ses retards. L'une des grandes originalités de Balzac, Stendhal, et bientôt Flaubert, est de se faire les explorateurs de cette province, largement méconnue, et d'oser en faire un objet littéraire. Le mot de Flaubert : « Yvetot vaut Constantinople », qui souligne que le romanesque peut s'attacher tout aussi bien aux petites villes de province grises et sans éclat qu'aux grandes villes mythiques, traduit cette réorientation du regard réaliste. Balzac, par l'importance qu'il lui a donnée dans son œuvre, est sans doute celui qui a le plus fait prendre conscience de ce nouvel espace en dressant de « la » province un inventaire à la fois patient et passionné. Toute *La Comédie humaine* est organisée autour du couple Paris / province, qui fournit une dynamique romanesque très efficace, faite d'incessants allers-retours entre ces deux pôles antithétiques : la province devient notamment le lieu de départ et de retour du jeune ambitieux (le poète Lucien de Rubempré quittant Angoulême pour chercher la consécration littéraire à Paris dans *Illusions perdues*, par exemple), le lieu également où le Parisien vient bousculer une atroce et lénifiante torpeur (comme Charles Grandet débarquant à Saumur et bouleversant la vie bien réglée de sa cousine Eugénie dans *Eugénie Grandet*).

Toute la littérature réaliste est redevable à Balzac de cette ligne de fracture Paris / province, cette « antithèse sociale » (Balzac), qu'elle explorera inlassablement. La province (songeons à *Madame Bovary*, qui se veut un tableau des « mœurs de province ») est le lieu de la grisaille, de l'étouffement, de l'anachronisme, de la léthargie ; Paris représente exactement l'inverse : lieu de la dépense énergétique et de la carrière sociale, c'est une sorte de poumon vivifiant, de tête pensante. Une réalité géographique, sociale et politique, devient ainsi un véritable *topos* romanesque. Ajoutons que l'exploration de la province pourra parfois déboucher sur une littérature de tendance « régionaliste » : Maupassant, avec ses contes normands, n'en est pas toujours loin.

L'industrie – Le réalisme saisit également le développement et le bouleversement industriel qui est une des dimensions essentielles du XIXe siècle. Dans la petite ville de Verrières sur laquelle s'ouvre *le Rouge et le Noir*, Stendhal dépeint un étagement symbolique qui révèle les structures profondes de la société du temps : en bas, près du ruisseau, les forces productives (la fabrique de clous de M. de Rênal et la scierie du père Sorel), en haut la mairie, le « château » du maire et son beau jardin. L'étagement spatial vaut aussi pour un étagement social. Et, sans s'appesantir, Stendhal note d'emblée l'aliénation qui est celle des « jeunes filles fraîches et jolies » des environs qui « présentent aux coups [des] marteaux énormes » d'une « machine bruyante et terrible » « les petits morceaux de fer qui sont rapidement transformés en clous ». La même structure se retrouve dans l'Angoulême d'*Illusions perdues*. Perchée sur un piton rocheux, la ville produit un étagement identique. En haut, l'espace de la tradition, encore très « Ancien Régime », où derrière les remparts se trouvent la justice, l'évêque et où se barricade l'aristocratie ; en bas, dans le faubourg de l'Houmeau, sur les bords de la Charente, l'espace économique où se regroupent les forces productives. « En haut la Noblesse et le Pouvoir, en bas le Commerce et l'Argent ; deux zones sociales constamment ennemies en tous lieux » : la description de l'espace figure et symbolise les mutations sociales.

Flaubert, de manière plus discrète, ne manquera pas de faire entrer le monde industriel dans le roman. Emma Bovary, en compagnie de Charles, Homais et Léon, visite ainsi une filature de lin en construction

(II, 5). Bien plus longuement, dans *L'Éducation sentimentale* (1869) Frédéric Moreau visite avec Mme Arnoux la fabrique de faïences (II, 3) de M. Arnoux dans une banlieue parisienne où « des cheminées d'usine fum[ent] les unes près des autres » et où l'on croise des « ouvrières » en « costumes sordides ». Peu à peu le monde ouvrier devient une réalité romanesque.

Mais la prégnance de l'industrie, sa présence à la fois insidieuse et menaçante se révèle dans le destin de certains personnages, et singulièrement celui de la petite Berthe, la fille d'Emma Bovary, qu'on envoie à l'usine après la mort de ses parents. La mère a rêvé de clairs de lune, de romances et de passion romantique ; la fille part à l'usine (une filature de coton, celle peut-être qu'Emma a vue en construction) : dans cet infléchissement, Flaubert dit toute une part de l'histoire bourgeoise du siècle où l'individu peu à peu se trouve broyé et où se constitue une classe de « misérables ». L'usine, c'est bien la fin du rêve et c'est là qu'aboutit la logique à l'œuvre dans la société du XIXe siècle. Zola ne fera que le confirmer en faisant de l'ouvrier une figure centrale des *Rougon-Macquart* et de la lutte du « capital » et du « travail » une des lignes de force de *Germinal* (1885).

Le roman réaliste accompagne donc les mutations du siècle : Maupassant décrit par exemple la naissance du thermalisme dans *Mont-Oriol* (1887) en dévoilant les tractations financières qui président à la création d'une ville d'eaux, en soulignant d'emblée la réalité économique d'un tourisme médical en pleine expansion : dans le roman, le père Oriol, vieux paysan auvergnat, homme d'affaires rusé, saura faire fortune en vendant ses terres où abondent les sources. De l'eau, il fera de *l'or*.

De l'insertion à l'éviction de l'histoire

Mettre en scène l'histoire du XIXe siècle, c'est aussi s'interroger sur ses scansions, ses dates charnières, ses moments climatériques, ses points de basculement. C'est-à-dire faire intervenir dans le roman toute une chronologie qui inscrive l'histoire dans le texte. On constate toutefois une nette évolution en la matière : cette chronologie, présente dans les premières œuvres réalistes, disparaît peu à peu au cours du siècle.

Balzac et Stendhal évoquent les grands événements et les grandes figures historiques du siècle. Napoléon est chez eux une référence incontournable : c'est un modèle pour Julien Sorel ou Lucien Leuwen. Chez Flaubert, la référence est devenue dérisoire : Napoléon n'est plus que le prénom du fils du pharmacien Homais qui incarne la bêtise dans *Madame Bovary*. Plus largement, l'histoire est explicitement mise en scène et interrogée dans ses épisodes clés : la Bérézina et la retraite de Russie dans *Adieu* (1830) de Balzac et, surtout, Waterloo dans *La Chartreuse de Parme* (1839), bataille qui signe la chute de Napoléon et d'où, en 1815, est sorti le monde moderne du XIXe siècle aux yeux de Stendhal. Zola, bien plus tard, mettra en scène dans *La Débâcle* (1892) la guerre franco-prussienne de 1870.

Flaubert donne avec *L'Éducation sentimentale* (1869) le grand roman de la révolution de 1848. Mais la perspective est tout à fait singulière et le romancier montre une histoire absurde. Non seulement les révolutionnaires sont décrits comme de grotesques comédiens parodiant la Révolution de 1789, mais le héros Frédéric Moreau demeure un simple spectateur de l'histoire : il n'intervient à aucun moment dans les scènes de rue, les soulèvements qu'il lui arrive de côtoyer *par hasard*, le hasard de ses flâneries dans Paris. Pendant les journées de juin 1848, Frédéric part avec Rosanette se promener en forêt de Fontainebleau : le roman refuse ainsi la description de ce qui devrait occuper le devant de la scène et de l'histoire. Du coup, le récit rend l'événement historique invisible, donc inexistant. L'histoire avec Flaubert perd ainsi son sens. C'est encore plus net dans *Madame Bovary* qui apparaît comme un roman déshistoricisé. Il ne donne aucun repère chronologique clair. Si l'on peut reconstituer par plusieurs indices que l'histoire se passe de la Restauration aux alentours de 1850, le roman occulte soigneusement les révolutions de 1830 et de 1848, sur lesquelles il reste muet. Manière de dire que la chronologie politique, historique, n'influe que peu, voire pas du tout, sur le destin des individus, et que comptent bien davantage des rythmes plus lents mais plus profonds (ceux par exemple de l'industrialisation du pays, comme on l'a noté ci-dessus).

C'est ce qu'on retrouve chez la plupart des réalistes de la seconde moitié du siècle. La chronologie des romans n'inscrit plus explicitement l'histoire politique ; elle l'ignore même superbement. Les œuvres des

Goncourt sont révélatrices : *Germinie Lacerteux* (1865) notamment présente une chronologie on ne peut plus floue ; la révolution de 1848 et l'instauration du second Empire n'y trouvent aucun écho. Le destin de Germinie dépend bien plus de sa « féminilité », de ses conditions de vie misérables, que d'une histoire qui semble sans prise sur elle. De même, *Une vie* (1883) de Maupassant, qui passe sous silence la révolution de 1830 et où l'évolution de l'héroïne, Jeanne, est rythmée par le cycle naturel des saisons et pas du tout par les événements historiques et politiques. Le roman réaliste déserte ainsi peu à peu la scène de l'histoire pour se replier sur le monde du quotidien et de la vie privée.

Une vision critique de la société : le bourgeois, modèle et cible

En peignant le mouvement de la société du XIXe siècle, en en expliquant les raisons, et les rythmes, les réalistes se font tous historiens de la classe bourgeoise. Le réalisme apparaît comme la forme littéraire qui accompagne, traduit et en même temps critique l'assomption de la bourgeoisie, qui peu à peu se trouve aux commandes à la fois économiques puis politiques du pays et provoque, sur le long cours du XIXe siècle, un changement des mœurs et des mentalités dont le roman et la peinture se font l'observatoire critique.

L'entreprise balzacienne a souvent été qualifiée d'épopée de la classe bourgeoise. *La Comédie humaine* décrit en effet la bourgeoisie dans sa phase conquérante, comme une véritable force historique. Stendhal montre également, même si c'est avec plus de distance, cet essor sans précédent de la bourgeoisie : à la fin du *Rouge et le Noir*, c'est le bourgeois Valenod qui remplace le noble M. de Rênal à la mairie de Verrières. Passation de pouvoirs on ne peut plus symbolique. Sur l'ensemble de la production réaliste, tant picturale (voir les tableaux d'Édouard Manet, par exemple) que littéraire, l'écrasante majorité du personnel mis en scène correspond aux classes bourgeoises : de la petite bourgeoisie dans *Les Employés* (Balzac) ou *Bouvard et Pécuchet* (Flaubert) à la très grande bourgeoisie d'affaires dans *Lucien*

Leuwen (Stendhal), *L'Argent, La Curée* (Zola) ou mondaine (*Bel-Ami* de Maupassant) en passant par la bourgeoisie provinciale (de Normandie dans *Madame Bovary* de Flaubert ou *Pierre et Jean* de Maupassant ; de Laon dans *Les Bourgeois de Molinchart* de Champfleury) ou parisienne (*César Birotteau* de Balzac, *Fanny* d'Ernest Feydeau, *Renée Mauperin* des Goncourt), etc. Bref, le réalisme c'est un peu : le bourgeois dans tous ses états.

La plupart du temps, le bourgeois est l'objet d'une critique manifeste. Il est présenté comme incarnant la laideur et surtout la bêtise, la « prose du monde » (Hegel), l'étroitesse d'esprit, étroitesse qui semble gagner toute l'époque. Il est l'incarnation d'un monde étouffant et étriqué. Balzac dans *Pierre Grassou*, histoire d'un mauvais peintre qui s'embourgeoise et abdique toute ambition artistique pour ne plus faire que des portraits convenus commandés par des bourgeois, semble mettre en abyme cette fonction du roman réaliste : peindre le bourgeois dans sa vanité, sa suffisance, sa bêtise. Les Vervelle, peints par Pierre Grassou, vont toujours par trois, le père, la mère et la fille, et ne sont guère ménagés par Balzac : ce sont « un melon », une « noix de coco » et « une asperge » ! Le portrait du bourgeois va donc souvent jusqu'à la caricature et le réalisme offre une galerie de figures replètes, de ventres rebondis, qui dessine la silhouette familière du bourgeois. M. Roland dans *Pierre et Jean* de Maupassant en est un exemple savoureux : « De taille exiguë, il présentait un ventre en ballon surmonté d'une face rougeaude entre deux favoris grisonnants. » À la suite de Stendhal, dans une visée encore plus sarcastique qui recourt constamment à l'ironie, Flaubert a définitivement établi l'équivalence bourgeois = bêtise. De simples noms comme Bovary ou Bouvard (*Bouvard et Pécuchet*) font par exemple entendre immédiatement quelque chose de « bovin », qui ne place guère ces personnages du côté de l'intelligence rayonnante... Mais c'est surtout Homais, le pharmacien de Yonville dans *Madame Bovary*, qui est l'incarnation parfaite du bourgeois aux yeux de Flaubert : il est une pure rhétorique (voltairienne et libérale), passionné par tout ce qui est officiel, par le pouvoir et ses images, craintif vis-à-vis de l'autorité ; gonflé à bloc de tous les lieux communs du temps, il donne à voir une pétrification de la pensée. « Homais » est à rapprocher selon Flaubert de « homo », l'homme : le personnage incarne la bêtise humaine, insondable et inébranlable. Homais, c'est le Bourgeois majuscule. C'est lui qui se voit récompensé par la « croix d'honneur » dans la dernière phrase du roman : triomphe – terrifiant aux yeux de Flaubert – d'une classe et d'un état d'esprit (ou plutôt du manque d'esprit).

Dans cette peinture de l'éthos bourgeois comme des forces nouvelles qui travaillent en profondeur la société du XIXe siècle (montée en puissance de la logique marchande et industrielle), le réalisme affirme sa portée critique.

à vous...

Dissertation
Bertolt Brecht a avancé la définition suivante : « Réaliste veut dire : qui dévoile la causalité complexe des rapports sociaux. » En vous appuyant sur les œuvres étudiées en cours et sur vos lectures personnelles, vous examinerez la pertinence de ce jugement.

La littérature du côté de la science

À l'époque où, avec Balzac, le réalisme se met en place, le roman est encore souvent considéré comme un genre mineur, il n'a pas conquis ses lettres de noblesse. Pour légitimer leur discours sur le réel, leur ambition de décrire et d'expliquer le monde contemporain par le roman, les réalistes vont alors chercher des modèles et des cautions du côté de la science et non pas du côté de la tradition romanesque. Le réalisme est profondément marqué par toute une épistémologie d'ordre scientifique.

Des modèles scientifiques

Sciences naturelles et sciences médicales – L'un des traits les plus constants du réalisme est que les auteurs se pensent par référence à la posture du scientifique. L'écrivain se veut l'égal du savant. C'est une approche nouvelle : jamais jusque-là les romanciers ne s'étaient définis ainsi. Les sciences naturelles et les sciences médicales deviennent les deux modèles principaux du réalisme. Dans l'Avant-Propos de *La Comédie humaine*, où il définit son projet romanesque, Balzac se réclame ainsi des naturalistes Buffon et Geoffroy Saint-Hilaire. L'histoire des mœurs conçue par le romancier se modèle sur l'histoire naturelle. Buffon a étudié les espèces animales ; Balzac étudiera les « espèces sociales » en les décrivant en interaction avec leur milieu, comme le font les naturalistes pour les animaux. Comme Geoffroy Saint-Hilaire, à qui *Le Père Goriot* est dédié, il privilégiera l'idée d'une évolution constante des espèces sous l'effet du milieu. Zola ira plus loin encore, en reprenant, pour qualifier le mouvement littéraire qu'il théorise, le nom même de « naturalisme » et en s'inspirant très clairement de Darwin, pour les sciences naturelles, de Claude Bernard et du docteur Lucas pour les sciences médicales. Au premier, il emprunte une véritable vision du monde qui définit la vie comme une guerre perpétuelle où seuls survivent les plus aptes et les plus forts : *La Débâcle*, le roman qui décrit la défaite française lors de la guerre de 1870, est totalement conforme au modèle darwiniste. Au deuxième, il emprunte sa méthode « expérimentale », son sens de l'observation : le titre même du texte dans lequel Zola définit son projet, *Le Roman expérimental* (1880), est un renvoi explicite à l'ouvrage de Claude Bernard : *Introduction à la médecine expérimentale* (1865). Au troisième, il emprunte l'idée que les individus sont déterminés par leur hérédité, développée par Lucas dans son *Traité philosophique et physiologique de l'hérédité naturelle* (1847-1850) et que Zola reprend en faisant de l'hérédité le fil conducteur de sa vaste fresque des *Rougon-Macquart*, cette « histoire naturelle et sociale d'une famille sous le second Empire ». Plus largement, ce sont tous les réalistes qui baignent dans une atmosphère scientifique. Flaubert est fils de médecin et a très tôt été habitué à ce regard scientifique posé sur le monde et les êtres. Les caricaturistes le représenteront souvent en médecin disséquant ses personnages au scalpel. Maupassant, qui a suivi les cours de Charcot à la Salpêtrière, s'inspire quant à lui volontiers de la psychiatrie naissante. Dans la préface de *Germinie Lacerteux*, les Goncourt présentent ainsi leur œuvre, en rejetant le terme de « roman » :

« L'étude qui suit est la clinique de l'Amour. » De même *Fanny* d'Ernest Feydeau s'affiche comme une simple « étude ». Bref, la science sert de référence constante au roman réaliste.

Réalisme et sciences humaines – Mais la dimension « scientifique » du texte réaliste se signale surtout dans l'invention de ce qui ne s'appelle pas encore les « sciences humaines ». C'est en effet au XIXe siècle que se mettent en place et se théorisent peu à peu la sociologie, la psychologie (puis la psychanalyse), la linguistique. Or, toutes ces sciences nouvelles trouvent leur équivalent direct dans la fiction réaliste. Par exemple, « l'histoire des mœurs » que les réalistes promeuvent via la fiction, c'est exactement ce qu'Auguste Comte nomme en 1830 la « sociologie ». De Balzac à Zola, le roman est ainsi une véritable sociologie du XIXe siècle.

Gustave Flaubert fut autant admiré que raillé : ce dessin paru dans *La Parodie* en 1869 le représente arrachant le cœur d'Emma Bovary pour le tremper dans l'encre…

Attentifs aux milieux, aux manières d'être, de parler, aux règles tacites du comportement en groupe, les réalistes sont de véritables précurseurs de ces sciences nouvelles qui se donnent pour objet l'homme en société, l'homme dans ses relations aux autres. Les réalistes sont ainsi des sociologues avant la lettre.

Des œuvres documentées

Enquêter avant d'écrire – Considéré comme un instrument de connaissance, le roman réaliste doit se fonder sur une documentation sérieuse et sûre. L'auteur réaliste est un homme du document. Le texte littéraire doit être étayé sur des recherches, des enquêtes précises. L'œuvre n'est plus le résultat d'une libre invention, d'un pur déploiement de l'imagination ; sa genèse est le fruit d'une documentation rigoureuse qui permet de contrôler, de cadrer, le travail de l'imagination. L'écrivain réaliste se nourrit de lectures et d'enquêtes sur le terrain, de tout un travail de recherche préalable à l'écriture. Les Goncourt ont bien saisi cette nouvelle attitude : « Le roman depuis Balzac, n'a plus rien de commun avec ce que nos pères entendaient par ce roman. Le roman actuel se fait avec des *documents*, racontés ou relevés d'après nature, comme l'histoire se fait avec des documents écrits. » (*Journal*, 24 octobre 1864.) Au moment de composer leur roman *Sœur Philomène* (1861), qui relate l'histoire d'une jeune religieuse infirmière, ils vont voir un interne de l'hôpital de la Charité, car, notent-ils dans leur *Journal*, « il nous faut faire pour notre roman de *Sœur Philomène*, des études à l'hôpital sur le vrai, sur le vif » (18 décembre 1860). Flaubert et Zola sont familiers de ces enquêtes sur le terrain. Ainsi Zola, avant de composer *La Bête humaine* (1890), son grand roman ferroviaire, fait le voyage de Mantes à Paris sur une locomotive, calepin à la main et prend quantité de notes, ou bien descend dans une mine avant de composer *Germinal*.

Grandeur et misère de la science – L'écrivain accumule les lectures, les documents de toutes sortes, qui sont pour ainsi dire les fondations du roman. Même chez Stendhal, qui pratique moins que ses successeurs cette méthode de l'enquête préliminaire, le récit trouve néanmoins toujours son germe dans un texte source, dans un « petit fait vrai » : *Le Rouge et le Noir* lui est inspiré par un article de *La Gazette* *des tribunaux* relatant le crime commis dans une église par le jeune séminariste d'origine paysanne Berthet contre Mme Michoud, femme mariée dont il a été l'amant après avoir été précepteur de ses enfants. Le « crime » de Julien Sorel aura donc la caution du réel. Flaubert, quant à lui, pousse jusqu'à la caricature la nécessité de la documentation livresque. La genèse de ses œuvres témoigne d'une véritable inflation documentaliste. Chaque scène, chaque événement, chaque détail est établi après longue et patiente enquête. Pour l'opération du pied-bot dans *Madame Bovary*, il compulse et annote le *Traité pratique du piedbot* (1839) du docteur Vincent Duval et interroge son frère, chirurgien à Rouen. Pour *L'Éducation sentimentale*, il prend presque mille pages de notes, se rend en bibliothèque pour lire tous les ouvrages sur le socialisme de 1848, toute la presse de l'époque (pourtant pas si lointaine), les Mémoires et études historiques, sollicite les témoignages et les souvenirs de ses amis pour obtenir l'idée la plus précise possible des événements. Pour *Bouvard et Pécuchet*, qui fait la revue de tous les savoirs du temps, de l'agriculture à la chimie en passant par l'histoire ou la théologie, il lira au total près de 1500 ouvrages ! Cette pratique de la documentation permet à l'écrivain réaliste d'exposer dans ses œuvres les savoirs et les savoir-faire de son temps. Le document donne au roman la dimension d'œuvre de savoir.

Mais la mise en scène du savoir peut aussi avoir une fonction critique. C'est le cas dans *Bouvard et Pécuchet*, roman qui s'échafaude sur une documentation impressionnante, mais dont le résultat est de montrer l'inanité et la faillite des savoirs. Dans cette « encyclopédie critique en farce » (l'expression est de Flaubert), les deux héros, retirés à la campagne, s'essaient successivement à toutes les sciences pour aboutir toujours au même scepticisme : les discours savants qu'ils compulsent se révèlent contradictoires, incohérents, sans lien les uns avec les autres et ne permettent finalement l'établissement d'aucune vérité ni d'aucune synthèse. Dans cet éparpillement, le roman flaubertien dit la déroute et la désagrégation du savoir.

à vous...

Lisez *Le Médecin de campagne* de Balzac, *Madame Bovary* de Flaubert, *Sœur Philomène* des Goncourt et *Le Docteur Pascal* de Zola et dans un exposé construit expliquez quelle vision du médecin et de la médecine propose le roman réaliste. Y a-t-il évolution de Balzac à Zola ?

Perspective 3

Sociologie de l'homme ordinaire

L'homme en situation

L'homme en son milieu

Les conceptions de l'homme en amont – L'approche réaliste de l'homme est fondée sur l'idée que ce dernier est toujours historiquement, socialement, et même géographiquement situé. Le réalisme saisit l'homme en situation, dans le monde contingent au sein duquel il évolue. Il décrit l'homme dans son milieu. Celui-ci détermine et explique celui-là. Sur ce point, le réalisme s'inscrit très clairement contre le classicisme, qui avait fait de l'homme une essence intemporelle, un invariant indépendant des circonstances historiques et des contingences matérielles, bref un être abstrait. Mais également contre le romantisme, qui, s'il reconnaît bien la dimension historique de l'homme, maintient dans son approche de l'individu une dimension spirituelle et métaphysique qu'ignore le réalisme. De plus, pour le romantisme, l'individu est d'abord une subjectivité, une intériorité, qui lui donne son caractère propre, son individualité précisément. Le réalisme considère au contraire que l'homme est d'abord le produit de son milieu, le résultat de (rapports de) forces qui lui sont extérieur(e)s : le groupe social auquel il appartient, le lieu dans lequel s'ancre sa vie, les milieux qu'il fréquente et qui déterminent ses habitudes, etc.
« Dis-moi où tu vis, et je te dirai qui tu es... » – C'est Balzac qui, le premier, a souligné l'influence décisive du milieu dans la définition de

l'être, le lien consubstantiel qui unit l'un à l'autre. On retrouve cette idée chez tous les réalistes, et le naturalisme zolien en fera un des piliers de sa théorie. Balzac décrit ainsi le(s) lieu(x) de l'intrigue avant d'en présenter les personnages. Ces descriptions sont beaucoup plus qu'un simple cadre, elles sont d'emblée des éléments de présentation et d'explication des personnages et des drames qui suivent. La longue et fameuse description de la pension Vauquer qui ouvre *Le Père Goriot* est tout sauf un hors-d'œuvre. Elle place d'entrée de jeu le lecteur au cœur de l'intrigue. La façade jaunâtre de la pension, les odeurs de cuisine et de renfermé, le mobilier dépareillé et branlant, etc., tout respire « la misère sans poésie » et signifie d'emblée les destinées malheureuses et misérables des pensionnaires comme le caractère avare et mesquin de sa propriétaire, Mme Vauquer. À propos de cette dernière, Balzac conclut, pour signifier ce lien indissociable entre l'individu et son milieu : « Toute sa personne explique la pension comme la pension implique sa personne. [...] L'embonpoint blafard de cette petite femme est le produit de cette vie, comme le typhus est la conséquence des exhalaisons d'un hôpital. » L'individu est le « produit » de son milieu. Peindre la pension, c'est donc déjà peindre et expliquer les individus qui la peuplent. L'habitat donne accès à l'habitant et révèle ses habitudes. Dans *Gobseck* (1830) Balzac note ainsi, à propos du personnage éponyme : « Sa maison et lui se ressemblaient. Vous eussiez dit de l'huître et son rocher. » Le procédé est poussé à son comble dans *La Vieille Fille* (1836) où Mlle Rose Cormon est décrite par sa seule demeure ! Dans presque tous les cas, il apparaît indispensable que la description des lieux précède celle des gens. Décrire un domicile, un mobilier, ce n'est pas décrire des ornements extérieurs à la personnalité, c'est décrire les symboles où cette personnalité s'inscrit. De même, la description de la petite ville bretonne de Guérande qui ouvre *Béatrix* (1845) amorce déjà l'histoire : on y trouve « le plus correctement la physionomie des siècles féodaux ». Or, c'est de la vieille noblesse féodale qu'est imprégné tout le roman. La description du milieu est révélatrice de forces, de principes qui structurent le roman et définissent le caractère des personnages.

Cette influence du milieu apparaît également chez Flaubert ou Maupassant. Le drame de Mme Bovary est en effet incompréhensible en dehors de la peinture de la province (les petites villes de Tostes et de Yonville), de l'ennui et de la solitude qu'elle sécrète inexorablement pour une jeune femme de médecin inactive et dotée d'un minimum de culture. Les personnages normands de Maupassant sont, quant à eux, inséparables du terroir qui les produit et qui modèle jusqu'à leur langage (Maupassant, adepte d'un réalisme linguistique, reproduit le patois des paysans normands).

L'ancrage social et politique – L'homme réaliste est encore déterminé par son appartenance à un groupe social. Le réalisme est une observation fine et lucide des groupes sociaux, de leur fonctionnement, de leurs conflits. Ce que Proust appellera les « gradins sociaux » est une matière essentielle du roman réaliste, qui met en scène les différences, les barrières entre les groupes sociaux. Surtout, le réalisme montre comment les individus vivent et ressentent ces différences, les perçoivent comme des marques distinctives. C'est toute la problématique des « positions » sociales : la société dépeinte par les réalistes est une société de classes et de classements, où les individus et leurs parcours sont conditionnés par ces divisions. *Lucien Leuwen* (1834-1836) de Stendhal en est un bon exemple. Sa première partie, située à Nancy, se lit comme la peinture de l'échiquier politique et social du début de la monarchie de Juillet, échiquier sur lequel le héros éponyme doit se situer. La société de Nancy est divisée en trois groupes, qui sont aussi trois options politiques : les partisans du « juste milieu », c'est-à-dire du gouvernement en place, celui de Louis-Philippe. Il s'agit des représentants de l'État (préfet et général) et de tous les bourgeois de Nancy. Les légitimistes (ou « ultras »), c'est-à-dire les aristocrates, qui rejettent Louis-Philippe, restent fidèles à la branche aînée des Bourbons et ne rêvent que de retour en arrière. Les républicains, représentés par les jeunes gens de la ville, qui combattent eux aussi le gouvernement de Louis-Philippe, mais pour promouvoir une société plus égalitaire, et ont le regard fixé sur l'avenir et la chute définitive de la monarchie. Le roman montre qu'il n'y a plus aucune communication entre ces trois « classes » qui s'ignorent. Chacune a ses lieux, ses pratiques, ses habitudes propres, qu'elle cultive pour se distinguer ouvertement des autres. La noblesse a ainsi ses propres bals, où la bourgeoisie n'est pas conviée, et vice versa. Chaque personnage du roman est conditionné par son appartenance à l'un de ces trois groupes. Mme de Chasteller, l'héroïne, est ainsi non seulement une figure de la belle dame chaste qui découvre l'amour avec Lucien, mais avant tout une « légitimiste furibonde » qui prêche dans les salons pour le retour des Bourbons et des jésuites, une femme complètement modelée par l'idéologie de sa classe. Le narrateur note que les opinions politiques de Mme de Chasteller, qui sont celles de sa caste, « ne sont pas des idées, ce sont des sentiments » : elle a adopté ces idées « en étudiant son catéchisme, à six ans ». L'opinion politique est chez elle irréfléchie, elle est le résultat de réflexes totalement intériorisés et du conditionnement d'une éducation qui remonte au-delà de toute prise de conscience personnelle. Si l'amour qu'elle éprouve pour le républicain Lucien est l'occasion de tant de remords, c'est notamment parce que le jeune homme n'appartient pas au même groupe qu'elle, qu'il heurte en elle ses « sentiments » politiques : « Jamais mon père, pensait-elle, ni aucun de mes parents ne consentira à ce que j'épouse M. Leuwen, un homme du parti contraire, un *bleu*, et qui n'est pas noble. » Lucien est tout aussi conscient de cette opposition de classe, qui est un obstacle a priori à la naissance de l'amour : « Quel ridicule ! Quelle impossibilité ! Moi ! Aimer une femme ultra, avec ces idées égoïstes, méchantes, à cheval sur leurs privilèges, irritée vingt fois le jour parce qu'on s'en moque ! » Ainsi le parcours de l'individu, sa vision du monde, et même jusqu'à ses sentiments les plus intimes, sont toujours dépendants, dans l'esthétique réaliste, du groupe socio-politique dont il fait partie.

L'être-pour-autrui

Sous le regard de l'autre – Décrire l'homme en situation, c'est donc pour le réalisme le saisir dans ses liens avec les autres. Le réalisme s'intéresse à la dimension sociale de l'individu, à ce que Sartre a appelé son « être-pour-autrui ». Rien ne le montre mieux que des œuvres comme *Madame Bovary* ou *Madame Gervaisais* des Goncourt dans lesquelles le personnage principal est identifié par son statut social d'épouse bourgeoise et d'emblée dépossédé de sa singularité. Les deux héroïnes de Flaubert et des Goncourt disparaissent derrière leur identité sociale. Le roman les nomme comme le fait la société.

Dans le cas d'Emma, la dépossession est radicale puisque l'expression « Madame Bovary » désigne également dans le roman Mme Bovary mère et la première femme de Charles : ce nom n'est donc absolument pas spécifique à Emma ! Le romantisme avait privilégié les titres-prénoms, qui correspondent à sa vision de l'homme comme subjectivité et individualité (*Oberman, Aloys, Atala, Ourika, Indiana, Valentine, Pauline*, etc.). Les titres réalistes accolent presque toujours au prénom le nom, qui insère l'individu dans le monde social : pour s'en tenir aux Goncourt, *Renée Mauperin* (1864), *Charles Demailly* (1860), *Germinie Lacerteux* (1865), *Manette Salomon* (1867). Le personnage peut même être parfois désigné par un simple statut social, qui suffit à le définir, chez Vallès par exemple avec *L'Enfant* (1879) ou *Le Bachelier* (1881).

Cette prégnance de l'être-pour-autrui est manifeste dans le cas de Julien Sorel, le héros du *Rouge et le Noir*, qui est diversement nommé et catégorisé en fonction des contextes : il est ainsi « paysan » ou « ouvrier » aux yeux du maire de Verrières, M. de Rênal, « bourgeois » aux yeux de ses camarades « paysans » au séminaire de Besançon, « provincial » aux yeux des Parisiens, « petit bourgeois » ou « bourgeois » aux yeux de la noble et fière Mathilde de La Mole, etc. Ces variations d'appellations ou de titres sociaux soulignent combien la définition de l'individu dépend du regard que les autres portent sur lui ; autrement dit, combien pour les réalistes l'individu n'existe jamais seul, qu'il ne se comprend que dans ses relations avec les autres, combien l'être ne peut s'appréhender qu'en situation, dans un regard d'ordre sociologique.

La parade sociale – L'importance de l'être-pour-autrui se signale encore dans la prégnance de modèles sociaux qui s'imposent à l'individu, et auxquels celui-ci doit correspondre s'il veut être socialement reconnu et accepté. Le réalisme s'intéresse ainsi de près à tout ce qui constitue le paraître social, l'ensemble des signes par lesquels l'individu est reconnaissable et classable, la série des codes qui forment la vie en société : la mise en scène de soi, l'habillement, la gestuelle, voire la décoration d'intérieur, les manières de table, la circulation dans l'espace social, etc. Autrement dit l'écheveau infini et complexe des petites règles tacites qui organisent la vie d'un groupe social. *L'Enfant* de Jules Vallès montre sur un mode souvent comique combien ce paraître social est obsédant et impérieux. La mère de Jacques Vingtras, paysanne devenue une petite bourgeoise par son mariage avec un professeur de collège, impose à son fils toutes les pratiques et les façons qu'elle croit celles de la bourgeoisie. L'ironie de Vallès permet de dénoncer les prétentions de Mme Vingtras et le ridicule des codes sociaux qu'elle veut imiter. Mais elle n'en souligne pas moins combien ces codes sont contraignants pour l'individu, qui doit s'y conformer sous peine de marginalisation sociale. Ce n'est qu'en les intériorisant que l'individu peut exister socialement. C'était déjà la leçon que le provincial Lucien de Rubempré tirait lors de son arrivée à Paris dans *Illusions perdues* (1837-1843) : pour ne pas être ridiculisé, pour entrer dans le grand monde auquel il aspire, il lui faut faire l'apprentissage des signes de la mondanité, imiter les dandys qu'il croise à l'Opéra, apprendre à contenir des gestes trop brusques et familiers, et commencer par une visite chez le tailleur qui lui confectionnera un habit à la mode. Il lui faut exhiber les signes de reconnaissance du monde auquel il veut s'intégrer. Cette attention à tout ce qui constitue le paraître social, la mise en scène sociale de soi, traverse tout le réalisme et se poursuit jusque chez Proust, grand et fin observateur des signes sociaux, des apparences, des lois non écrites mais impérieuses qui régissent la mondanité.

Discours social contre parole individuelle – Le langage des personnages témoigne également de cette emprise de la socialité sur l'individu. Le roman réaliste montre que, sans toujours en être conscient, nous parlons avec les mots des autres, que le discours social nous constitue et que ce que nous croyons être l'expression d'une personnalité, d'une spécificité, n'est le plus souvent qu'une somme de clichés largement diffusés et partagés, de lieux précisément « communs ». C'est Flaubert qui a le plus et le mieux mis en évidence cette emprise du discours social sur la parole individuelle. La fréquence des italiques dans *Mme Bovary* vient en effet souligner les mots des autres qui nourrissent constamment les dialogues et les pensées des personnages. Si bien que dans ce roman de la dépossession, il n'y a plus de parole authentique : c'est finalement toujours la voix de la collectivité, du *on* anonyme, qu'on entend. Ainsi, le pharmacien Homais ne fait que répéter le journal, qu'il sait par cœur ; les rêves d'Emma ne sont qu'une resucée pathétique des pires clichés de la littérature romantique ; de même la rhétorique bien huilée du discours du conseiller Lieuvain, lors des comices agricoles, qui déploie une impressionnante collection de clichés (sur l'agriculture, la nation, le gouvernement, etc.), est l'exemple type d'un discours qui tourne à vide et qui est toujours d'emprunt. Flaubert poussera l'attention à ces discours sociaux figés jusqu'à rédiger un *Dictionnaire des idées reçues*, publié de manière posthume en 1911, sorte de revue de la bêtise contemporaine.

Ce qui ressort de cette conception de l'homme en situation que privilégie le réalisme est l'idée que l'individu est beaucoup moins libre qu'il ne le croit. Déterminé et conditionné par ce qui l'entoure, par les modèles sociaux qu'on lui impose, par un langage qu'il emprunte, son intériorité est rognée, voire (chez un Flaubert et plus encore chez un Zola) totalement déniée.

Un nouveau personnel romanesque

Le personnage représentatif et la mort du héros

Le réalisme choisit de mettre en scène des hommes ordinaires. Et non pas des destinées exceptionnelles. Le personnage réaliste a toujours une dimension représentative : il vaut comme image de toute une classe ; il représente l'ensemble des individus qui lui ressemblent. Loin du romantisme, qui insistait au contraire sur la forte singularité de ses héros, qui avait tendance à privilégier ce qui est littéralement « extraordinaire », le réalisme se veut souvent chronique d'une vie ordinaire, qui conduit peu à peu à remettre en cause l'idée même d'héroïsme.
Le « type » balzacien – La dimension représentative du personnage réaliste a été théorisée par Balzac avec l'invention du « type ». Le personnage balzacien est toujours un type social qui synthétise un ensemble de données éparpillées en quantité d'individus dont les parcours personnels relèvent toujours de l'histoire sociale de leur temps. « Un type est un personnage qui résume en lui-même les traits caractéristiques de tous ceux qui lui ressemblent plus ou moins, il est leur modèle du genre » (préface d'*Une ténébreuse affaire*, 1841). Le

type n'est pas une essence ou un « caractère » au sens classique. Il est le produit d'une société et condense les traits d'une série statistique. Toute figure balzacienne est censée exister à maints exemplaires dans la société de l'époque. *La Comédie humaine* est ainsi une galerie de types sociaux, que le génie de Balzac réussit à individualiser : le commis voyageur (Gaudissart dans *L'Illustre Gaudissart*, 1833), le parfumeur (César Birotteau dans le roman éponyme, 1837), l'homme de l'Empire (le baron Hulot dans *La Cousine Bette*, 1846), la concierge (Mme Cibot dans *Le Cousin Pons*, 1847), le riche propriétaire avare (le père Grandet dans *Eugénie Grandet*, 1833)... Le type est pour Balzac une manière efficace de lier l'individu et la société, d'expliquer l'un par l'autre. Ses personnages sont représentatifs des diverses « espèces » sociales, pour reprendre une métaphore de l'« Avant-Propos » de *La Comédie humaine*.

Balzac donne en outre une épaisseur à ces types par la technique du retour des personnages, inaugurée avec *Le Père Goriot* (1835). Les mêmes personnages se rencontrent d'un roman à l'autre de *La Comédie humaine*, ce qui permet de créer véritablement un monde, d'établir des connexions entre les romans, transformés en autant de carrefours. Les personnages se croisent, se perdent de vue, se retrouvent, comme dans la société réelle : le rêve de Balzac est de donner l'illusion d'une galerie de personnages vivants. Ainsi Eugène de Rastignac, type du jeune homme ambitieux, est le héros du *Père Goriot*. On le croise furtivement parmi les dandys de l'Opéra dans *Illusions perdues*. On le retrouve longuement dans *La Maison Nucingen* (1838). De Marsay, que l'on voit en dandy dangereux dans *La Fille aux yeux d'or* (1834), qu'on croise également à l'Opéra dans *Illusions perdues*, devient rien de moins que Premier ministre dans *Le Député d'Arcis* (1847), etc. La réapparition des personnages d'un roman à l'autre confère l'illusion de la réalité au monde romanesque, à la mosaïque fictionnelle qu'est *La Comédie humaine*.

La mort progressive du héros – Les personnages « typiques » de Balzac sont encore très fortement dramatisés et héroïsés. Le jeune loup ambitieux Rastignac est ainsi le héros de l'énergie conquérante. Le banquier Nucingen est un véritable bâtisseur d'empire (financier) et se trouve qualifié de « Napoléon de la Finance ». Et même le marchand parfumeur César Birotteau est doté d'un prénom qui l'héroïse d'emblée. Il y a encore des héros chez Balzac. De même chez Stendhal, qui conçoit aussi ses personnages comme des « types » représentatifs. Lucien Leuwen est ainsi le « type » du jeune Parisien fils de bonne et très riche famille de banquier, une sorte de fils à papa. Julien Sorel, qui est bien un héros de l'énergie, « un paysan qui s'est révolté contre la bassesse de sa fortune », se revendique lui-même, lors de son procès, comme représentatif : il appartient, lance-t-il à ses juges, à « cette classe de jeunes gens qui, nés dans une classe inférieure et en quelque sorte opprimés par la pauvreté, ont le bonheur de se procurer une bonne éducation, et l'audace de se mêler à ce que l'orgueil des gens riches appelle la société ». Julien est ici le représentant de toute une « classe ». Mais ce n'est pas seulement, ou pas d'abord, par leur énergie, leur volonté de fer, que les personnages stendhaliens sont des héros. C'est en raison de leur qualité d'âme : ils font partie de ces âmes d'élite que Stendhal appelle les *happy few* dont le véritable but est la « chasse au bonheur ». Chasse qui les conduit à l'amour et qui les pousse finalement à tourner le dos au monde pour être heureux en prison, c'est-à-dire en marge de la société (Julien Sorel avec Mme de Rênal dans *Le Rouge et le Noir*, Fabrice Del Dongo avec Clélia Conti dans *La Chartreuse de Parme*).

Progressivement cette dimension héroïque du personnage va s'effacer. Le réalisme, à partir de Flaubert, privilégie toujours des personnages représentatifs d'une catégorie sociale mais de plus en plus médiocres. L'homme ordinaire, plat, remplace le héros. L'être réaliste accuse un déficit héroïque. Flaubert avec Frédéric Moreau, le héros problématique de *L'Éducation sentimentale*, a traduit cet infléchissement décisif. Chez Balzac et Stendhal, les héros, confrontés aux turpitudes et aux pièges du monde, réagissent avec une énergie jamais démentie, une volonté de fer et une vigueur ambitieuse. Avec Flaubert, le temps de l'énergie est fini. Frédéric Moreau se montre incapable de concrétiser ses rêves de jeune homme et de donner une réelle consistance à son existence. Il laisse glisser sur lui les événements, les rencontres, les tournants de l'histoire (la révolution de 1848) sans jamais pouvoir agir ou réagir.

Même dans le domaine amoureux, il reste velléitaire et finira pas passer à côté de sa grande passion amoureuse. Au fil des ans, ses ambitions déçues s'amoindrissent et son impossible passion pour Mme Arnoux paraît se diluer. Au point qu'on a pu le qualifier d'antihéros. C'est un personnage passif, un être de l'inaction, incapable de surmonter les obstacles qui entravent sa réussite professionnelle ou amoureuse. Ces obstacles, plutôt que de stimuler son énergie, le plongent dans un état de prostration dans lequel il semble se complaire. Recalé à ses examens, éconduit de chez les Arnoux, sans travail, ayant abdiqué toute velléité de création artistique, il sombre dans l'ennui et le désœuvrement et se laisse gagner par la médiocrité et la platitude ambiantes. Il ne s'engage dans rien (ni la passion, ni la politique, ni l'art), ne réalise rien. Un pas supplémentaire dans l'antihéroïsme est franchi par Flaubert avec *Bouvard et Pécuchet* (inachevé), ces deux « cloportes ». Personnages assis, rassis, rancis, « fatigués » de Paris, qui se retirent à la campagne

QUATRIÈME ANNÉE. — N° 170. Le numéro (15 pages de texte) : 15 cent. DIMANCHE 27 MAI 1883.

LA VIE POPULAIRE

LA VIE POPULAIRE

DIRECTION :
18, rue d'Enghien, 18

UNE VIE

Par GUY DE MAUPASSANT

Le développement de la presse permet aux écrivains de faire connaître leurs œuvres au plus grand nombre. Ainsi d'*Une vie* de Maupassant d'abord publiée dans *La Vie populaire*.

pour s'essayer pathétiquement à toutes les sciences, faire le tour des savoirs. *Madame Bovary*, *L'Éducation sentimentale*, *Bouvard et Pécuchet* : toutes les grandes œuvres flaubertiennes sont des romans de la faillite ou de l'échec et mettent en scène des personnages de plus en plus médiocres.

Le réalisme, ou chronique d'une vie ordinaire – Cette dimension, que le naturalisme radicalisera, est bien mise en valeur par Zola dans un texte de 1866 (*Deux définitions du roman*) : « Le premier homme qui passe est un héros suffisant : fouillez en lui et vous trouverez certainement un drame simple qui met en jeu tous les rouages des sentiments et des passions. [...] Vous n'aurez plus qu'à grouper quelques êtres, à les heurter, et à étudier les chocs qui se produiront. » « Le premier homme qui passe » : voilà le personnage réaliste par excellence. Jeanne dans *Une vie*, Pierre et Jean dans le roman éponyme, n'ont chez Maupassant plus rien d'héroïque précisément, aucune caractéristique qui en ferait des êtres d'exception. Personnages ordinaires à qui il arrive des choses somme toute ordinaires. Le titre même, *Une vie*, dit bien que le réalisme, et plus encore le naturalisme, s'oriente vers la peinture d'une tranche de vie, « la simple vie » pour reprendre le premier titre auquel Zola avait songé pour *L'Assommoir* (« La simple vie de Gervaise Macquart »). Dans *Une vie*, le mot de la fin revient à la servante Rosalie, qui conclut : « La vie, voyez-vous, ça n'est jamais ni si bon ni si mauvais qu'on croit. » À l'image de cette phrase, le texte réaliste n'est pas une œuvre de désespérance ; il est un simple constat de la médiocrité.

Le renouvellement du personnel littéraire

Les mutations de la société que décrivent, on l'a vu, les œuvres réalistes suscitent de nouvelles figures romanesques. Outre le personnage du bourgeois, étudié plus haut et défini contre une aristocratie en perte de vitesse et d'éclat, le réalisme promeut trois figures essentielles : le jeune homme, la femme et le peuple.

Fin de règne : l'aristocratie détrônée – Le réalisme, s'il met encore des personnages d'aristocrates en scène, montre combien ils sont en voie de disparition, anachroniques et sans aucun avenir. Le vieillard d'Ancien Régime est ainsi un type du roman réaliste, qu'on trouve aussi bien chez Balzac que chez Stendhal ou Flaubert. Il représente un monde à jamais disparu. Dans *Le Rouge et le Noir*, le marquis de La Mole voit bien que la noblesse est désormais, dans le monde irrémédiablement bourgeois du XIXe siècle, hors course, qu'elle est condamnée à court terme. Il pronostique lucidement : « Dans cinquante ans, il n'y aura plus en Europe que des présidents de républiques, et pas un roi. Et avec ces trois lettres R, O, I, s'en vont les prêtres et les gentilshommes. Je ne vois plus que des *candidats* faisant la cour à des *majorités* crottées. » Octave de Malivert, le héros noble du premier roman de Stendhal (*Armance*, 1827), avait déjà fait le même constat : « Depuis que la machine à vapeur est reine du monde, un titre est une absurdité. » Balzac excelle à mettre en scène cette « absurdité ». Nombre d'aristocrates de *La Comédie humaine* sont des « débris » (le mot est de Balzac), momies et fossiles d'un autre temps, d'un autre monde. Ceux de *Béatrix*, par exemple, ne sont plus que des automates grotesques et le titre cruel d'un autre roman balzacien, *Le Cabinet des antiques* (1839), qui désigne par dérision à Alençon le salon du marquis d'Esgrignon, farouche défenseur des droits et privilèges de la noblesse, est symptomatique : les aristocrates sont rangés au rayon des antiquités. Flaubert ne les ressuscitera que fugacement pour donner un support aux rêveries d'Emma Bovary, à travers notamment le bal de la Vaubyessard. Mais Emma sera bien la seule à idéaliser ce monde : à la Vaubyessard, Flaubert dresse le portrait du vieux duc de Laverdière en vieillard débilité, bégayant, à la lèvre pendante, qu'on traite comme un enfant : c'est le symbole de la décadence de toute une classe.

« À nous deux maintenant ! » : le jeune homme – Face à ces vieillards décatis et anachroniques, le roman réaliste dresse la figure du jeune homme, autour duquel l'œuvre s'agence. Le réalisme s'organise souvent sur le modèle du roman de formation, qui suit l'éducation, le parcours d'un jeune homme, son entrée dans le monde. Cette structure permet une peinture commode des différents milieux que le héros traverse. Le jeune homme, être en devenir, à la conquête de son identité et de sa place dans la société, est ainsi un excellent instrument pour décrire les rouages du monde social. On peut distinguer deux catégories parmi ces jeunes gens : les vainqueurs et les vaincus. Eugène de Rastignac, le héros du *Père Goriot*, est assurément le symbole parfait des premiers. Il incarne le jeune homme qui réussit, grâce aux femmes et non pas à ses études de droit. Grâce également aux leçons de cynisme de Vautrin, un forçat qui loge comme Eugène à la pension Vauquer et qui lui explique les véritables lois, immorales et guerrières, de la société :

> Une rapide fortune est le problème que se proposent de résoudre en ce moment cinquante mille jeunes gens qui se trouvent tous dans votre position. Vous êtes une unité de ce nombre-là. Jugez des efforts que vous avez à faire et de l'acharnement du combat. Il faut vous manger les uns les autres comme des araignées dans un pot, attendu qu'il n'y a pas cinquante mille bonnes places. Savez-vous comment on fait son chemin ici ? par l'éclat du génie ou par l'adresse de la corruption. Il faut entrer dans cette masse d'hommes comme un boulet de canon, ou s'y glisser comme une peste. L'honnêteté ne sert à rien.

Rastignac décide de s'engager dans la bataille, de se faire une place au soleil, et la fin du roman le trouve au haut du cimetière du Père-Lachaise, contemplant Paris à ses pieds et lui lançant ce « défi » célèbre : « À nous deux maintenant ! » Les autres romans de *La Comédie humaine* montreront qu'il est promis à un bel avenir : il finira, dans *Les Comédiens sans le savoir* (1846), ministre de l'Intérieur. À l'autre bout du siècle, Maupassant reprendra ce modèle pour *Bel-Ami* (1885). Le roman suit en effet la carrière du cynique et arriviste Georges Duroy, fils de petits paysans normands cabaretiers à Canteleu, qui, débarqué à Paris, réussit par le journalisme et par les femmes jusqu'à devenir M. Du Roy de Cantel. C'est un peu le Rastignac des années 1880.

Du côté des vaincus, on trouve Frédéric Moreau, l'antihéros de *L'Éducation sentimentale*, sous-titré justement « Histoire d'un jeune homme ». Mais on trouve plus généralement à ses côtés toute la génération qui arrive à l'âge adulte sous le second Empire dans une société et une histoire désormais bloquées. Jacques Vingtras, le héros de la trilogie d'inspiration très fortement autobiographique de Jules Vallès, en est un bon exemple. *L'Enfant* (1879), *Le Bachelier* (1881), et *L'Insurgé* (1886), les volets successifs de cette trilogie, décrivent la formation de Jacques, de l'enfance à l'entrée dans l'âge adulte en passant par l'adolescence. Le tout en montrant que son éducation classique a fait de lui un inadapté, l'empêche de réellement s'insérer dans la vie active et dans un monde qui n'a que faire d'un bachelier de plus, gavé de grec et de latin. Le modèle balzacien du jeune homme conquérant, défiant la société et réussissant à s'y imposer est bien loin. La « formation » a abouti ici à une déformation.

Portraits de femmes – Le réalisme s'est également attaché à la peinture de la condition féminine, notamment à travers la question du mariage, envisagé comme une institution sociale contraignante dans laquelle la femme reste aliénée au mari, à la famille, à l'argent. Balzac en a fait un de ses thèmes de prédilection et nombre de lectrices lui ont écrit pour témoigner de l'acuité avec laquelle il décrivait leur condition féminine. On lui doit l'invention de types féminins que reprendra souvent la littérature réaliste, comme la « femme de trente ans ». Dans le roman qui porte ce titre (1842), Balzac peint sous les traits de Julie d'Aiglemont une femme déçue par le mariage, résistant à la tentation puis durement punie pour avoir cédé à la passion adultérine. On trouve maints exemples du même ordre dans *La Comédie humaine*. Les *Mémoires de deux jeunes mariées* (1842) confrontent les expériences antithétiques de deux anciennes amies de couvent, Louise de Chaulieu et Renée de Maucombe. Le roman décrit l'opposition fondamentale de deux conceptions du mariage, du rapport à la vie : égoïsme de la passion d'un côté (avec Louise la romantique exaltée, qui refuse la maternité, se marie à deux reprises, connaît les affres de la jalousie et meurt) ; sens élevé de la conscience morale et sociale de l'autre (avec Renée, l'épouse modèle, la mère dévouée, la femme sage, mais au prix du sacrifice de soi).

Le roman réaliste sera souvent celui de l'adultère : *Madame Bovary* et *Une vie* sont par excellence des drames du mariage. Emma et Jeanne, éduquées dans le vase clos du couvent, sont des mal mariées, qui ont rêvé de prince charmant et découvert que la réalité du mariage était loin de l'image romantique qu'elles s'en faisaient. Emma voudra retenir quelque chose de ses rêves en se jetant dans l'adultère ; la passive Jeanne subira, résignée, les adultères successifs de Julien, son volage et brutal époux. Dans les deux cas, le mariage est l'élément déclencheur d'un engrenage qui promet l'individu à un destin malheureux, voire tragique.

Au-delà de la question lancinante du mariage et de l'aliénation sociale qu'il peut représenter, les réalistes se penchent sur le mystère que représente l'être féminin. C'est particulièrement le cas des Goncourt, qui, de *Germinie Lacerteux* à *Madame Gervaisais* en passant par *Renée Mauperin* ou *Manette Salomon* cherchent à cerner ce qu'ils nomment la « féminilité ». Leurs analyses s'inscrivent dans l'idéologie dominante misogyne du XIXe siècle, où la femme, mortifère et corruptrice, anéantit l'homme : ainsi Manette Salomon, modèle du peintre Coriolis, séduit ce dernier, lui impose ses volontés, le vampirise, se fait épouser et, uniquement soucieuse d'argent et de respectabilité bourgeoise, finit par tuer l'artiste en lui. Les Goncourt peignent tout à la fois la fragilité et la violence de la femme, le mystère de son désir, de sa puissance d'aimer et de ses terribles détraquements. La « féminilité » est en effet liée à l'organisation « nerveuse » de la femme. Leurs romans sont autant de tableaux d'un nervosisme qu'on retrouvera chez un Zola, dès *Thérèse Raquin*, dont l'héroïne criminelle, au tempérament nerveux et hystérique, est dominée par « les fatalités de [sa] chair ».

L'entrée du peuple en littérature

La littérature donne une dignité – Toutefois, l'élément le plus marquant du renouvellement de personnel romanesque produit par le réalisme est l'entrée du peuple sur la scène littéraire dont il avait été jusque-là plus ou moins exclu. Auparavant, le classicisme avait relégué la réalité humble et misérable, le personnage populaire, dans des genres mineurs ou comiques. Les personnages des fabliaux du Moyen Âge tout comme les valets de la comédie classique étaient bien des personnages du peuple mais toujours risibles, contemplés à distance et jamais vraiment pris au sérieux ni décrits dans leur existence miséreuse. Le romantisme avait peint des figures de révoltés et de marginaux (le bandit, le forçat), mais pas vraiment le peuple, qui restait une masse anonyme que les auteurs peinaient à individualiser. C'est avec le réalisme que le peuple entre vraiment en scène. Ce changement a une portée symbolique et idéologique forte. Le peuple prend, littérairement, la place occupée jusque-là par le grand et beau monde. Il revêt une dignité qui lui était refusée. Et surtout la littérature se fait ainsi l'écho

Saisir l'événement historique et politique, comme le fera plus tard la photographie : pendant la révolution de 1848, Paris est le théâtre de scènes violentes, en témoigne *La Barricade, rue de la Mortellerie, juin 1848* de Jean-Louis-Ernest Meissonier (1815-1891).

des bouleversements sociaux et politiques : la révolution de 1848 a fait du peuple une force politique, a révélé aux yeux des bourgeois effrayés que « classes laborieuses » pouvait rimer avec « classes dangereuses », a manifesté très clairement des affrontements de classes. L'aspiration démocratique qu'a été 1848 se prolonge d'une certaine manière dans cette arrivée du peuple sur le devant de la scène littéraire.

Des figures à l'arrière-plan... – Cette entrée du peuple dans la littérature réaliste se fait progressivement. Le peuple n'existe pas encore vraiment chez Stendhal et Balzac, dont l'œuvre est écrite avant la rupture de 1848. C'est tout au plus si l'on aperçoit, fugacement, dans *Le Rouge et le Noir*, la figure d'une servante de café à Besançon (Amanda Binet) ou d'une domestique de M. de Rênal (Élisa). Quant aux « jeunes filles fraîches et jolies » qui travaillent dans la fabrique de clous du maire de Verrières, le texte, comme le lecteur, les oubliera vite. Le peuple n'arrive pas à prendre en texte chez Stendhal, ce libéral aux goûts irrémédiablement aristocratiques. Chez Balzac non plus, où il est pourtant plus présent, il n'occupe pas le devant de la scène et ne constitue pas un acteur majeur de *La Comédie humaine*, malgré un roman (inachevé) comme *Les Paysans* (1re partie parue en 1844). Littérairement, il ne fait pas le poids face à la bourgeoisie et même encore à l'aristocratie. Le roman balzacien n'est jamais organisé autour d'une figure du peuple, qui, quand il est présent et intervient dans l'intrigue, est relégué au rang de personnage secondaire, comme la servante Nanon dans *Eugénie Grandet*. Le tableau évolue déjà chez Flaubert dans *Madame Bovary*, où le petit peuple des silhouettes yonvillaises (Lestiboudois, Mme Le François, Hivert, Hippolyte, etc.) entoure Emma de son insigne médiocrité et impose sa présence obsédante comme bruit social permanent. Quelques figures marquantes de misérables se détachent du roman : l'aveugle, mais qui a un rôle plus symbolique que réaliste (il semble prédire à Emma une fin tragique) ; la nourrice de la petite Berthe, la mère Rollet dont on aperçoit la masure sale ; et surtout la vieille Catherine Leroux, qui a servi cinquante-quatre ans dans la même ferme et qu'on décore pour cela lors des comices agricoles. Mais le roman ne leur est évidemment pas consacré. Il faudra attendre *Un cœur simple* (1877) pour que Flaubert choisisse comme héroïne une servante, Félicité, et comme sujet la vie sans éclat de cette femme du peuple.

... jusqu'au personnage principal – L'œuvre réaliste qui produit la véritable rupture dans la prise en charge littéraire du peuple est sans conteste *Germinie Lacerteux* (1865) des frères Goncourt. Pour la première fois l'héroïne est clairement une figure populaire, inspirée de Rose Malingre, la servante des Goncourt. D'origine paysanne, Germinie arrive à Paris. Violée dans son adolescence, elle entre au service de Mlle de Varandeuil, s'éprend de Jupillon, fils d'une crémière, qui l'exploite. Ce dernier l'abandonne avec un enfant qui meurt en nourrice. Germinie est victime d'une attaque d'hystérie à l'annonce de cette mort. Abandonnée par son amant, elle se lie avec Gautruche, ouvrier peintre alcoolique, se met à boire, s'offre à des amours de passage, tout en restant au service de Mlle de Varandeuil et menant ainsi double vie, entre fureurs érotiques et remords douloureux qui ponctuent une lente dégénérescence. Elle meurt de tuberculose à l'hôpital avant d'être enterrée dans une fosse commune. La préface du roman a valeur de manifeste et les Goncourt y revendiquent ce changement de personnel littéraire :

> Vivant au dix-neuvième siècle, dans un temps de suffrage universel, de démocratie, de libéralisme, nous nous sommes demandé si ce qu'on appelle « les basses classes » n'avait pas droit au Roman; si ce monde sous un monde, le peuple, devait rester sous le coup de l'interdit littéraire et des dédains d'auteurs qui ont fait jusqu'ici le silence sur l'âme et le cœur qu'il peut avoir. Nous nous sommes demandé s'il y avait encore, pour l'écrivain et pour le lecteur, en ces années d'égalité où nous sommes, des classes indignes, des malheurs trop bas, des drames trop mal embouchés, des catastrophes d'une terreur trop peu noble. Il nous est venu la curiosité de savoir si cette forme conventionnelle d'une littérature oubliée et d'une société disparue, la Tragédie, était définitivement morte; si, dans un pays sans caste et sans aristocratie légale, les misères des petits et des pauvres parleraient à l'intérêt, à l'émotion, à la pitié, aussi haut que les misères des grands et des riches; si, en un mot, les larmes qu'on pleure en bas pourraient faire pleurer comme celles qu'on pleure en haut.

Les aristocrates que sont les Goncourt s'aventurent ainsi dans la peinture des bas-fonds de la capitale et de sa banlieue, où, estiment-ils, s'expriment plus crûment qu'ailleurs les drames de la société moderne. Mais ils le font aussi en esthètes à la recherche de sensations nouvelles : le peuple, la « canaille », a sur eux, de leur propre aveu, « l'attrait de populations inconnues, et non découvertes, quelque chose de l'*exotique* que les voyageurs vont chercher avec mille souffrances dans les pays lointains ». Cette attention portée au peuple à partir des années 1860 doit aussi beaucoup aux *Misérables* de Victor Hugo (1862), texte sans doute plus humanitaire et humaniste que réaliste mais qui entend dénoncer la misère sociale et presque métaphysique du peuple. *Germinie Lacerteux* aura une influence décisive sur le jeune Zola et sur le naturalisme qui fera la part belle au peuple et à ses conditions de vie misérables : les deux romans « ouvriers » de Zola, *L'Assommoir* (1877) et *Germinal* (1885), en sont les meilleurs exemples.

Au-delà de la dénonciation de la misère sociale et morale, les réalistes proposent parfois une vision plus positive du peuple, en tout cas moins dramatisée. C'est le cas de *L'Enfant* de Jules Vallès, animé de toute une mythologie rustique et d'une valorisation constante du monde paysan, identifié à une sorte d'Éden harmonieux où plonge le meilleur des racines de Jacques Vingtras.

à vous...

Exposé

À partir du *Rouge et le Noir* (Stendhal, La bibliothèque Gallimard n° 24), de *Mémoires de deux jeunes mariées* (Balzac, La bibliothèque Gallimard n° 100), de *Thérèse Raquin* (Zola, Folioplus classiques n° 16) et de *Une vie* (Maupassant, La bibliothèque Gallimard n° 26), examinez, en un exposé organisé, comment et pourquoi le roman réaliste met en scène l'insatisfaction féminine. Vous vous interrogerez en particulier sur le rôle de l'institution du mariage dans ces œuvres.

Un univers matérialiste

Le romantisme pouvait s'assimiler à une forme d'idéalisme. En tout cas, il apparaissait comme l'exploration d'une dimension métaphysique et spirituelle de l'homme. Le réalisme, au contraire, décrit de manière insistante un univers irrémédiablement matérialiste. Sans horizon autre que l'ici-et-maintenant le plus borné, sans échappée vers des valeurs pouvant fonder un quelconque humanisme. Sans autres jouissances (ou souffrances) que matérielles et physiques. Bref, un univers des intérêts positifs.

L'argent : « la seule puissance de ce temps » (Balzac, *Le Cabinet des antiques*)

Le premier élément qui le montre clairement, c'est la toute-puissance de l'argent. Le réalisme dépeint en effet un monde gouverné par l'argent, devenu l'étalon de tout, la seule valeur reconnue. Sur ce point *tous* les auteurs réalistes se rejoignent, de Stendhal à Maupassant, pour témoigner de cette emprise de l'argent sur le monde et décrire les effets d'un libéralisme économique qui se développe tout au long du siècle. Balzac en a fait une thématique essentielle de sa *Comédie humaine*, tableau d'une société bourgeoise en pleine expansion. L'argent, l'or y figurent à tous les étages et sous toutes leurs formes : l'usure (*Gobseck*), le savoir-faire du banquier (Nucingen, un des personnages qui revient le plus souvent dans *La Comédie humaine*), la thésaurisation obsessionnelle de Grandet, type de l'avare moderne (*Eugénie Grandet*), l'engrenage des dettes et du jeu du crédit (*César Birotteau*, *Illusions perdues*), etc. L'argent est devenu « le seul dieu moderne auquel on ait foi » (*Eugénie Grandet*). Stendhal ne dit pas autre chose dans *Lucien Leuwen* : « L'argent résume tout maintenant. » Et ce dernier roman va jusqu'à mettre en scène le roi lui-même (Louis-Philippe) en boursicoteur égoïste : il exploite en effet les dépêches que lui apporte le télégraphe pour jouer à la Bourse « à coup sûr »... Délit d'initiés qui en dit long sur la religion du « Veau d'or » qui s'empare de tout le siècle. Au point que l'individu se définit non plus par son être mais par son avoir. Être, c'est avoir. Julien Sorel en est un bon exemple, lui qui apparaît comme le premier héros salarié de la littérature française : Stendhal mentionne en effet systématiquement les gages et revenus de Julien dans ses différentes fonctions et le roman s'ouvre sur la « négociation » dûment chiffrée du père Sorel pour placer son fils comme précepteur chez le maire M. de Rênal. Stendhal est le premier à avoir mis en scène un héros dont l'une des caractéristiques essentielles est sa valeur sur le marché du travail.

Du coup, l'argent devient souvent dans le texte réaliste le moteur et l'instrument du drame. Le père Goriot se ruine par amour pour ses filles, le père Grandet à l'inverse ruine sa famille par amour de l'argent. On ne compte pas les histoires de dots, d'héritages, de mariages d'argent, etc. : Maupassant s'en est fait le spécialiste, tant dans ses contes que dans ses romans (*Mont-Oriol* ou *Pierre et Jean*). Un conte comme *La Parure* (publié en 1885 dans le recueil des *Contes du jour et de la nuit*) en est un bon exemple : l'héroïne, Mathilde Loisel, emprunte à une amie, Mme Forestier, une rivière de diamants pour parader dans un bal. Elle perd malheureusement cette « parure » et en rachète une, qu'elle rend à Mme Forestier, mais qui l'oblige à s'endetter affreusement. Pendant dix ans, son mari et elle connaissent « la vie horrible des nécessiteux », vivent comme des misérables pour rembourser cette dette. Jusqu'au jour où, croisant Mme Forestier, cette dernière leur apprend que sa parure était fausse et qu'elle « valait au plus cinq cents francs »... Ironie du sort qui montre combien l'argent est devenu le ressort d'un tragique de type nouveau.

Flaubert dans *Madame Bovary* a fait de l'argent, de l'engrenage de l'endettement, un des ressorts essentiels du roman, la raison première du suicide d'Emma. Pour satisfaire ses désirs de grande dame, celle-ci contracte en effet crédit auprès du marchand Lheureux et se trouve progressivement acculée à la ruine, au moment où Lheureux, au nom antiphrastique, referme sur elle le piège de la dette. Le suicide d'Emma est à réinscrire dans ce matérialisme de l'argent, qui devient presque une forme moderne du destin.

Le corps dans tous ses états

Corps exhibé – Le deuxième élément qui établit l'univers matérialiste du réalisme est l'attention qu'il porte au corps. Quelle meilleure réponse aux idéalismes et aux romantismes de tous ordres que la mise en scène du corps dans sa réalité la plus brute, la plus naturelle, sans les gazes romantiques, ou les voiles classiques, qui le recouvraient pudiquement ou servaient son idéalisation ? Le réalisme est une exposition, parfois même une exhibition, du corps dans sa dimension la plus charnelle, la plus physiologique, dans son incontournable présence et parfois sa dérangeante évidence.

Évidence dont témoigne assez la peinture réaliste. Si Manet a fait scandale avec sa fameuse *Olympia* (1863) ou son troublant *Déjeuner sur l'herbe* (1863), c'est précisément à cause de cette surexposition du corps nu de la femme. Non pas que le nu soit une nouveauté en peinture, loin de là ; mais ici, il s'agit d'un nu qui n'est pas idéalisé,

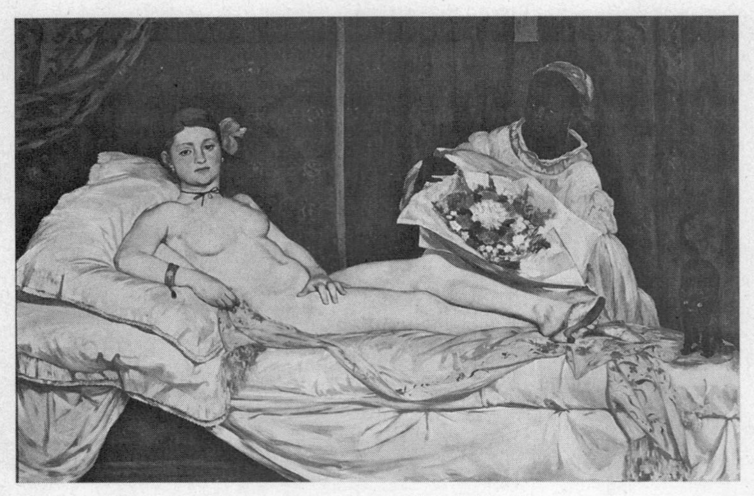

Parmi les tableaux scandaleux de l'époque, cette *Olympia* (1863)…

un nu qui donne à voir non pas une figure esthétisée, culturellement stéréotypée, de la beauté, mais un corps charnu et charnel, qui parle aux sens, suscite le désir plus que l'admiration. La comparaison avec les deux tableaux classiques de Titien qui les ont inspirés (*Le Concert champêtre* pour *Le Déjeuner sur l'herbe*; *La Vénus d'Urbino* pour *Olympia*) est révélatrice : Titien idéalise; Manet impose une présence, figure un désir. Et que dire du tableau de Courbet, *L'Origine du monde* (1866), représentant un sexe féminin en gros plan ? Le cadrage coupe toute autre partie du corps, et singulièrement le visage du modèle : le corps se réduit ici à sa réalité sexuelle, au désir.

Corps sensuel – Sans aller jusqu'à des expositions aussi crues, la littérature réaliste n'en met pas moins constamment en scène le corps. Corps érotisé ou corps souffrant. Corps érotisé, celui d'Emma Bovary, qu'on découvre à petites touches dans le roman, toujours au travers du regard des hommes. Flaubert insiste sur la sensualité d'Emma, fait de son corps le lieu de fixation des désirs de Charles, de Rodolphe

… ou ce *Déjeuner sur l'herbe* (1863) d'Édouard Manet.

et de Léon. Ce qui, outre les scènes d'adultère, explique pour une bonne part le procès intenté à Flaubert pour « outrage aux bonnes mœurs ». Corps érotisé également, celui de Rosanette, la courtisane de *L'Éducation sentimentale*, de Nana chez Zola, ou celui de Manette Salomon chez les Goncourt. Cette dernière d'ailleurs, modèle du peintre Coriolis qu'elle épouse, fait le lien entre les deux dimensions du matérialisme réaliste : corps superbe, elle est aussi une femme aux aspirations bourgeoises, un être uniquement préoccupé d'argent. Incarnation caricaturale d'une morale matérialiste et vénale. En elle se résume toute une époque.

Corps douloureux – Corps souffrant, celui de *L'Enfant* de Jules Vallès. Tout le roman se place en effet sous le signe d'un corps meurtri, dès l'incipit :

« Quel que soit le sein que j'ai mordu, je ne me rappelle pas une caresse du temps où j'étais tout petit ; je n'ai pas été dorloté, tapoté, baisotté ; j'ai été beaucoup fouetté.
Ma mère dit qu'il ne faut pas gâter les enfants, et elle me fouette tous les matins. »

Le corps de Jacques Vingtras est le lieu où s'inscrit d'emblée la violence de l'éducation et des rapports sociaux : outre ces coups continuels, il subit une véritable « incarcération » vestimentaire. L'enfant est engoncé dans des vêtements jamais adaptés, trop petits ou trop grands, qui le blessent et dont la fonction est d'emprisonner le corps, vécu alors sur le mode de l'inconfort et de l'inconvenance. La mise en scène du corps a ainsi dans *L'Enfant* une nette valeur idéologique : la violence faite au corps signifie la violence faite à l'individu, l'entreprise d'aliénation que sont l'éducation et les normes sociales qu'on lui impose.

Corps souffrant encore, celui d'Hippolyte dans *Madame Bovary*. Ce garçon d'écurie souffre d'un pied-bot. Charles Bovary, sur les conseils du pharmacien Homais, veut jouer au grand chirurgien en coupant le tendon récalcitrant et en confectionnant une boîte à moteur mécanique dans laquelle on enferme la jambe d'Hippolyte. Loin de guérir le mal, on l'a en réalité augmenté : la gangrène gagne la jambe, qu'il faut se résoudre à amputer. Ce pied déformé, meurtri et finalement amputé, souligne ironiquement et douloureusement l'échec de Charles Bovary.

Ce corps souffrant fait de la maladie et de la médecine deux grands thèmes de la littérature réaliste. C'est par exemple le corps hystérisé des héroïnes des Goncourt, Germinie Lacerteux ou Mme Gervaisais, dont les transes, les attaques nerveuses sont observées de près. Le corps impose ainsi sa loi, ses rythmes, son fonctionnement à l'individu. Peu à peu, on passe d'une psychologie à une physiologie. C'est cette dernière qui explique le comportement des personnages, en particulier chez Zola, attentif à ce que la préface de *Thérèse Raquin* nomme « les fatalités de la chair ». Les Goncourt se définiront eux-mêmes comme « historiens des nerfs ». Le roman réaliste s'inscrit alors contre la longue tradition du « roman d'analyse » psychologique (de *La Princesse de Clèves* à *Adolphe*) : le corps remplace le cœur. Seul Stendhal fait exception. Chez lui, les corps (à l'exception notable de celui de Lamiel) restent recouverts d'une gaze pudique, et, pour peindre ses personnages, il a tendance à « idéaliser comme Raphaël » (note marginale sur le manuscrit de *Lucien Leuwen*) : les corps ne sont pas fermement dessinés et Stendhal privilégie l'analyse du « cœur humain ». Les autres auteurs réalistes s'intéressent de près aux déterminismes physiologiques, à l'ordre, et surtout aux désordres, du corps. Bien entendu, plus on avance dans le siècle, moins la censure se fait sentir et plus le corps est précisément, médicalement, représenté.

La mise à mort du spirituel

Dieu est absent – Enfin, l'univers matérialiste se signale par la négation de tout horizon spirituel. Le réalisme est bien la littérature d'une époque qui proclame la mort de Dieu. La religion y est une cible privilégiée. Elle est dénoncée comme vacuité, hypocrisie, mensonge, comme pure rhétorique jamais en prise sur la réalité que vivent les individus. Témoin l'abbé Bournisien dans *Madame Bovary*. Il représente une religion stéréotypée et prodigieusement inefficace : il ne comprend rien à la demande de spiritualité d'Emma, désespérée de la médiocrité et de l'absence d'horizon de sa vie ; il ne lui répond que par des lieux communs. La routine ecclésiastique n'entend pas l'aspiration mystique des êtres, le désir d'élévation, de sortie hors du monde de l'ici-bas, de l'échappée hors de l'ici-maintenant réducteur, borné et étouffant. Au contraire, elle le justifie ; elle légitime le monde comme il va. C'est ce que fait l'abbé Picot dans *Une vie* : indulgent aux faiblesses de ses ouailles (il absout les adultères de Julien, au motif que le jeune marié « a fait comme tout le monde » !), il n'en est pas moins la cible de la verve satirique de Maupassant qui insiste sur « l'originalité burlesque de sa personne et de ses manières », son allure grotesque, sa malpropreté. Mais quand Jeanne lui confie ses désillusions matrimoniales, il fait preuve de la même incompréhension que Bournisien face aux états d'âme de Mme Bovary.

La mort sans au-delà – De même, la mort des personnages n'ouvre sur nul au-delà réconfortant. La mort est elle aussi envisagée dans sa dimension la plus matérialiste. La dernière page de *Germinie Lacerteux* en est un parfait exemple : elle décrit le cimetière et la fosse commune où Germinie a été enterrée. Fosse « bouchée avec de vieilles planches pourries et une feuille de zinc oxydée sur laquelle un terrassier avait jeté sa blouse bleue ». La pauvre servante a été enterrée sans même une croix : « On n'avait pas même planté un morceau de bois pour la reconnaître ! » Sa tombe n'est qu'un « terrain vague » qui ne permet aucun recueillement, aucun déploiement de la mémoire. Ces quelques planches et cette croix manquante disent l'absence de toute signification spirituelle de la mort.

Le célèbre tableau de Courbet *Un enterrement à Ornans* montre exactement la même vision matérialiste de la mort. Au centre du tableau, au premier plan, la fosse. Sans croix, comme pour Germinie : rien ne donne à ce trou la dignité d'une tombe. Le crâne au bord du trou dit à quoi est destiné le mort : non pas à une résurrection glorieuse, à un voyage vers un quelconque au-delà, mais tout simplement à devenir un misérable petit tas d'os. L'homme n'est ni plus ni moins qu'une bête : ce que vient signifier le chien au premier plan au bord de la fosse. Il y a bien, à l'arrière-plan, un crucifix qui signale la volonté de spiritualiser cet espace, de lui donner un sens. Mais le ciel sur lequel il se détache est de couleur terreuse : il est donc terrestre ; il n'offre aucune issue possible. De plus le crucifix est dans un espace vide ; il n'est pas relié aux personnages du tableau (aucun regard n'est tourné vers lui). Aucune ligne de fuite : le tableau est comme une frise sans profondeur, la frise des trognes paysannes et/ou bourgeoises qui figurent le monde de l'ici-bas, un monde mis à plat qui ne recèle plus aucune dimension cachée. Courbet donne à voir ici la désacralisation de la mort ; il peint un univers qui a tué le spirituel.

à vous...

Choisissez une œuvre dont la thématique centrale est celle de l'or ou de l'argent (Balzac, *Gobseck*, *Eugénie Grandet* ; Dostoïevski, *Le Joueur* ; Zola, *La Curée*, *L'Argent*, par exemple) et montrez comment y est traité ce thème :

– de quel «argent» s'agit-il? sous quelle forme apparaît-il dans le texte?
– quelles réactions provoque-t-il dans la conscience des personnages?
– quels réseaux symboliques lui sont associés?

Perspective 4

L'illusion réaliste

Les réalistes sont des illusionnistes

L'illusion du réel

La vérité littéraire est une construction – Les déclarations d'intention des réalistes (copier le réel, en donner une image exacte) ne doivent pas tromper. La reproduction intégrale et rigoureusement mimétique de la réalité est évidemment impossible dans un texte (ou sur une toile), qui est une structure forcément close et finie. L'idée d'un « roman réaliste » est presque paradoxale : le roman implique en effet, par définition, la fiction, l'invention, l'imaginaire ; tout comme il implique une construction, une mise en ordre des faits sélectionnés, construction qui en fait une œuvre artistique et l'écarte du désordre et des aléas qui sont le propre de la réalité. Si bien que le texte ne peut jamais être assimilé au réel : il ne peut qu'en donner l'illusion, que donner à son lecteur l'illusion que le monde qu'il représente est conforme à ce qu'il connaît et expérimente du réel. Le réalisme est un art de la vraisemblance. De tous les réalistes, Maupassant est celui qui a le mieux mis en évidence cette dimension. Dans un texte intitulé *Étude : Le Roman*, d'abord publié dans *Le Figaro* du 7 janvier 1888, puis réutilisé comme préface à *Pierre et Jean* (1888), Maupassant, après avoir évoqué le rôle du critique et affirmé que chaque écrivain doit suivre sa pente personnelle, montre que le réalisme n'est pas une simple et servile reproduction du réel, mais une composition, un travail d'organisation :

Mais en se plaçant au point de vue même de ces artistes réalistes, on doit discuter et contester leur théorie qui semble pouvoir être résumée par ces mots : « Rien que la vérité et toute la vérité ».
Leur intention étant de dégager la philosophie de certains faits constants et courants, ils devront souvent corriger les événements au profit de la vraisemblance et au détriment de la vérité, car : « Le vrai peut quelquefois n'être pas vraisemblable » [Boileau, *Art poétique*, III, v. 48].
Le réaliste, s'il est un artiste, cherchera , non pas à nous montrer la photographie banale de la vie, mais à nous en donner la vision plus complète, plus saisissante, plus probante que la réalité même.
Raconter tout serait impossible, car il faudrait alors un volume au moins par journée, pour énumérer les multitudes d'incidents insignifiants qui emplissent notre existence.
Un choix s'impose donc – ce qui est une première atteinte à la théorie de toute la vérité.
La vie, en outre, est composée des choses les plus différentes, les plus imprévues, les plus contraires, les plus disparates; elle est brutale, sans suite, sans chaîne, pleine de catastrophes inexplicables, illogiques et contradictoires qui doivent être classées au chapitre *faits divers*.
Voilà pourquoi l'artiste, ayant choisi son thème, ne prendra dans cette vie encombrée de hasards et de futilités que les détails caractéristiques utiles à son sujet, et il rejettera tout le reste, tout l'à-côté. [...]
La vie encore laisse tout au même plan, précipite les faits ou les traîne indéfiniment. L'art, au contraire, consiste à user de précautions et de préparations, à ménager des transitions savantes et dissimulées, à mettre en pleine lumière, par la seule adresse de la composition, les événements essentiels et à donner à tous les autres le degré de relief qui leur convient, suivant leur importance, pour produire la sensation profonde de la vérité spéciale qu'on veut montrer.
Faire vrai consiste donc à donner l'illusion complète du vrai, suivant la logique ordinaire des faits, et non à les transcrire servilement dans le pêle-mêle de leur succession.
J'en conclus que les Réalistes de talent devraient s'appeler plutôt des Illusionnistes.

L'œuvre réaliste n'est pas l'équivalent d'une « photographie » du réel mais le résultat de l'art littéraire : sélection et composition en sont les maîtres mots. Le vrai est le résultat d'une construction.

L'attention portée à la construction romanesque – Le réalisme, qui s'affiche comme affiliation du texte au réel, ne signifie donc pas la négation de l'art littéraire, du travail d'écriture et de composition. Bien au contraire. Tous les réalistes sont attentifs à l'équilibre, à la composition de leur œuvre. Ainsi, Flaubert et Zola se préoccupent beaucoup de questions de plans et rédigent maints « scénarios » avant d'entreprendre leur récit, à la différence d'un Stendhal qui écrit plus à l'aventure et déclare : « le plan fait d'avance me glace » (manuscrit de *Lucien Leuwen*). Les lois de la symétrie, du contrepoint, sont tout particulièrement observées par Maupassant qui, par exemple, construit *Boule de suif* (1880) sur les traits d'identité et d'opposition de la diligence et de l'auberge, ou organise son roman *Pierre et Jean* autour de la figure du double, déclinée en maints aspects. De même, les amours successives de Julien Sorel (*Le Rouge et le Noir*) ou d'Emma Bovary, l'hésitation de Frédéric Moreau entre trois femmes (*L'Éducation sentimentale*) donnent à l'œuvre tout un jeu de parallélismes et d'équilibres, créent un système d'échos. Chez Zola, c'est le modèle architectural qui s'impose dans la construction du roman, avec toutes ses implications : connaissance des lois de l'équilibre, sens du rythme, du nombre et des proportions. La plupart des romans zoliens sont construits sur le même schéma tripartite : une phase ascendante, un moment pivotal, suivi d'une phase descendante, d'une retombée conduisant à un dénouement le plus souvent malheureux. *L'Assommoir* en est sans doute le meilleur exemple. Le roman compte 13 chapitres et s'organise autour du septième (fête organisée pour l'anniversaire de Gervaise), véritable pivot créant la symétrie : les six premiers décrivent « l'ascension » de Gervaise, les six derniers son inéluctable déchéance.

D'autres textes jouent en revanche sur une composition par fragmentation, par petits chapitres juxtaposés, qui semblent simplement se succéder les uns aux autres et s'opposer au modèle architectural qui traduit une composition forte. C'est un moyen de dédramatiser le roman, de le défaire en quelque sorte, et les auteurs qui cherchent à peindre la vie quotidienne dans sa platitude et son déroulement insignifiant en ont souvent usé. C'est le cas de *Fanny* (1858) d'Ernest Feydeau, d'*Une belle journée* (réécriture de *Madame Bovary* par le romancier naturaliste Henry Céard, 1881, qui se veut un livre où il ne se passe rien) ou des romans des Goncourt. Ces derniers sont toujours faits d'une succession de très brefs chapitres (70 pour *Germinie Lacerteux*, 155 pour *Manette Salomon*, 111 pour *Madame Gervaisais*) ; chaque chapitre semble former comme un tout : selon Zola, il s'agit de simples « scènes qui se succèdent à peine reliées par un mince fil ». *Madame Gervaisais* apparaît ainsi plus comme une suite de tableaux descriptifs de la ville de Rome reliés entre eux par la seule présence du personnage éponyme que comme un roman construit autour d'une intrigue forte.

La description

Une fonction démonstrative – Le réalisme est avide de descriptions. C'est même un de ses traits formels les plus caractéristiques. Ce qui est tout à fait logique : on a vu que la littérature réaliste était une entreprise de monstration, d'exposition du monde ; le réalisme entreprenant de

Maintenant que l'on travaille sur le vif, la campagne et le monde rural tiennent une place importante en peinture, comme dans ce tableau de Léon Lhermitte, *La Paye des moissonneurs* (1882).

dire le monde, d'en donner une image, de situer l'homme dans son milieu, réserve forcément une place de choix à la description, genre où s'exprime le mieux la fonction référentielle de la littérature. Le texte descriptif donne par définition l'illusion de représenter une réalité extérieure à l'œuvre. Elle est un des éléments clés construisant l'illusion du réel. La description est en outre indispensable à l'auteur réaliste qui entend dispenser un certain savoir sur le monde. Elle est le lieu privilégié où se donne à lire la posture pédagogique, presque didactique, du texte réaliste. Elle est l'introduction dans le roman d'un fragment de savoir, sur tel secteur du monde, telle ou telle profession, etc. Ainsi Zola dans *La Bête humaine* décrit, à grand renfort de vocabulaire technique, Jacques conduisant sa locomotive la Lison et renseigne ainsi son lecteur sur le métier de mécanicien.

À l'exception de Stendhal, qui ne l'aime guère et la pratique le moins possible, tous les réalistes utilisent massivement la description. Elle concerne tout aussi bien les personnages (portraits : une des grandes marques de fabrique du roman balzacien) que le milieu dans lequel ils évoluent (décor, paysage, ameublement, etc.). Le roman réaliste est ainsi, par exemple, un grand promoteur du paysage en littérature, évolution qu'on retrouve dans la peinture contemporaine d'un Corot et plus encore, un peu plus tard, dans celle des impressionnistes. Flaubert en serait un bon exemple avec notamment sa célèbre description de la forêt de Fontainebleau dans *L'Éducation sentimentale* ou le panorama de Rouen dans *Madame Bovary*. Un texte comme *Madame Gervaisais* des Goncourt multiplie les panoramas romains en une série de pages descriptives qui sont de véritables tableaux insérés dans le roman : vues panoramiques du forum de nuit comme de jour, la ville vue du haut du Janicule, l'intérieur de Saint-Pierre ou du Gesù, etc.

Une fonction narrative – La description rompt la continuité de la narration. Il faut donc, pour les réalistes, s'efforcer de réduire son arbitraire, tenter de la « naturaliser », de rendre vraisemblable le passage de la narration à la description, à travers plusieurs éléments qui justifient la page descriptive. Le plus fréquent consiste à attribuer la description à un personnage, placé en position d'observateur : le décor, le paysage décrit semble alors l'être par les yeux du personnage. C'est pourquoi on rencontre souvent, par exemple, des personnages « à la fenêtre » dans le roman réaliste. Cette configuration, qui établit le personnage en contemplateur et suscite tout naturellement la description de ce qu'il voit, est un véritable topos réaliste. Elle permet en outre ce qu'on a appelé un « réalisme subjectif », le réel étant retranscrit à travers le regard subjectif du personnage. Témoin l'ouverture du chapitre 6 de la deuxième partie de *Madame Bovary*, où Emma est montrée assise au bord de la fenêtre et regardant Yonville et la campagne environnante. Témoin également l'incipit de *L'Assommoir* où Gervaise, attendant Lantier, s'accoude à sa fenêtre pour scruter le quartier de la Goutte d'Or. Ou bien, autre *topos* permettant de rendre vraisemblable la description, on suit un personnage de flâneur, qui « naturellement » regarde autour de lui. C'est souvent le cas chez Balzac, par exemple au début de *La Maison du chat-qui-pelote* (1830) où la singulière maison des Guillaume est décrite de la rue par les yeux d'un jeune homme inconnu qui la contemple. Tous ces personnages sont en quelque sorte les « porte-regard » de l'auteur.

À côté de la vision d'ensemble, du panorama, la description réaliste pose la question du détail. Pour donner de la vraisemblance à la description, à l'univers dépeint, le réalisme recourt à la mention de petits détails, anodins, insignifiants, qui n'apparaissent que pour faire vrai, produire ce que le critique Roland Barthes a nommé « l'effet de réel ». Barthes s'est ainsi attaché au baromètre mentionné par Flaubert dans sa description de la salle où se tient Mme Aubain, la patronne de Félicité dans « Un cœur simple », l'un des *Trois Contes* (1877). Ce baromètre n'a aucune fonction dans l'intrigue : précision « inutile », il n'est là que pour signifier le réel et faire croire au lecteur qu'un tel détail a l'air trop vrai pour avoir été inventé. Il produit donc un effet de réel. Il est un des moyens par lesquels se construit l'illusion réaliste.

à vous...

Choisissez un roman réaliste et repérez-y l'ensemble des descriptions. Classez-les en fonction de leur nature (portrait / paysage / intérieur,

etc.) et étudiez ensuite la manière dont elles sont insérées dans le tissu de la narration : qui voit ? sont-elles introduites par un élément repérable ? Interrogez-vous enfin sur leur répartition et leur fonction dans le roman : servent-elles la progression de l'intrigue ? Ont-elles une fonction symbolique ?

L'investissement de l'imaginaire

La transfiguration mythique

Le réalisme n'interdit pas l'imagination – Le discours réaliste, défini comme simple reproduction du réel, semble a priori se donner comme « transparent », sans reste, photographie de la surface des choses et des apparences du monde, sans profondeur, mettant en berne l'imaginaire. Une telle image est évidemment réductrice et singulièrement fausse. Le réalisme n'exclut pas l'investissement imaginaire. Les grandes fresques de Balzac (*La Comédie humaine*) ou de Zola (*Les Rougon-Macquart*) le montrent exemplairement : formidables témoignages sur leur époque, tableaux de l'histoire contemporaine, l'une et l'autre sont habitées d'une dimension épique et laissent souvent place à la transfiguration mythique. Dans son sens classique, le « mythe » désigne un récit originel, archétypique, mettant en scène des personnages divins ou légendaires dont l'aventure est exemplaire d'un des aspects essentiels et constants de la destinée humaine (mythe de Prométhée, mythe d'Œdipe, mythe de Sisyphe, etc.). Dans un sens plus moderne, le terme mythe peut désigner « toute prise en charge d'un élément de la quotidienneté individuelle et sociale par une représentation symbolique qui lui confère la dimension de l'éternel et du naturel, transformant un fait transitoire de culture en fait permanent de nature » (Henri Mitterand). Nombre de romans de Balzac comme de Zola, peignant la réalité la plus « historique » et contemporaine, la plus située, sont travaillés par ces représentations mythiques qui montrent que le réel est sans cesse signifiant. La réalité contemporaine peinte par le roman ne vaut plus alors seulement pour elle-même : elle devient un signe où se lisent les structures archétypiques les plus anciennes et anhistoriques. Le strictement contemporain, l'historique, devient une nouvelle manière de figurer des schèmes essentiels de la condition humaine. *Le Père Goriot*, grand roman inscrit dans un lieu et un temps bien précis (le Paris de 1835) et peignant les structures sociales du moment (le grand monde de Mme de Bauséant, la pension Vauquer comme condensé des failles et des tensions de la société, le parcours du jeune ambitieux Rastignac comme moyen de peindre ces divers milieux, etc.), n'en met pas moins en scène des personnages sans cesse transfigurés par le mythe. C'est particulièrement vrai du forçat Vautrin, qui incarne la figure mythique du pouvoir créateur (« Moi, dit Vautrin à Rastignac en lui proposant le marché qui doit le rendre riche, je me charge du rôle de la Providence »), et devient même une figuration de Satan lors de son arrestation (« En ce moment, Collin [le vrai nom de Vautrin] devint un poème infernal [...] Son regard était celui de l'archange déchu qui veut toujours la guerre »). Mais c'est encore plus vrai du père Goriot qui dans son amour pour ses filles, son oblation de soi pour elles, incarne véritablement le mythe de la paternité et se trouve assimilé à une figure christique. Il n'est plus seulement un vermicellier qui a fait fortune sous la Révolution, il figure dans la mythologie de Balzac un véritable « Christ de la Paternité ». C'est une tendance constante chez Balzac : dans sa *Comédie humaine* au souffle épique, il recrée un monde agrandi, exagéré, dramatisé, et non pas seulement mimétique, où tout ce qui, dans l'univers réel, est contingent, devient signe et symbole. C'est en quelque sorte un réalisme « visionnaire ». Le mot est de Baudelaire, qui a eu ce jugement célèbre : « J'ai maintes fois été étonné que la grande gloire de Balzac fût de passer pour un observateur; il m'avait toujours semblé que son principal mérite était d'être visionnaire » (*L'Art romantique*).

Personnages réalistes et fabuleux à la fois – On observe la même tendance, encore plus systématisée, chez Zola. Il n'est aucun de ses romans qui ne soit travaillé par le mythe. Dans *La Curée* (1871), l'amour que l'héroïne éprouve pour son beau-fils Maxime réactive explicitement le mythe de Phèdre, l'épouse incestueuse de Thésée. Nana, l'héroïne du roman éponyme (1880), « cocotte » qui conduit au désespoir et à la déchéance tous les hommes qui la désirent, apparaît comme la reprise de la figure présente dans toutes les mythologies de la féminité fascinante et perverse qui exploite la concupiscence qu'elle suscite, vide l'homme de sa force et le détruit (Ève, Dalila, Salomé ou Circé). Le mythe général de la « révolution », de la transformation, du mouvement, du passage permet à Zola de donner une vision dynamique de l'histoire. On le trouve par exemple dans *Au bonheur des dames* (1883), tout entier sous-tendu par le mythe du progrès (commercial et financier) avec l'activité débordante d'Octave Mouret qui figure un nouvel Hermès et un nouvel adorateur du veau d'or. Dans *Germinal* (1885), Étienne Lantier apparaît comme un Thésée moderne qui pénètre dans le labyrinthe (figuré par la mine) guidé par une jeune femme (Catherine, nouvelle Ariane) et qui affronte ce nouveau Minotaure recevant chaque jour sa ration de jeunes gens : le Voreux. Ce mythe de Thésée et du Minotaure voisine dans *Germinal* avec celui de l'enfer et des damnés (que figure la condition prolétarienne, au fond des mines de charbon). Etc.

Les ressources de la métaphore

Les œuvres réalistes ne se réduisent donc pas à leur plus ou moindre grande adéquation au réel qu'elles représentent, à leur plus ou moindre grande fidélité ou exactitude historique. Comme d'autres, elles sont travaillées par des réseaux symboliques, qui soulignent leur dimension proprement artistique. Le réel représenté n'est ainsi jamais exempt d'un possible investissement par la dimension symbolique, par la puissance de la métaphore. C'est par exemple le cas du thème floral dans *Le Lys dans la vallée* (1836) de Balzac, dont le titre, d'emblée métaphorique, désigne Mme de Mortsauf. Les nombreux bouquets composés par le héros Félix de Vandenesse et offerts à cette femme-fleur sont plus que de simples bouquets : ils se teintent constamment d'un évident symbolisme érotique. Les descriptions de bouquets, loin de n'avoir qu'une fonction ornementale ou de se réduire à un simple « effet de réel », soulignent en réalité, métaphoriquement, la montée du sentiment et du désir chez Félix. Le « réel » des bouquets est bien plutôt dans cette signification symbolique. Autre exemple célèbre, le motif de l'eau dans *L'Éducation sentimentale* de Flaubert : on se souvient que le roman s'ouvre sur une description de la Seine et d'un Frédéric Moreau embarqué sur *La Ville-de-Montereau*. Cette description a évidemment fonction réaliste : elle installe le décor du Paris de 1840. Mais elle se comprend aussi en relation avec la multitude d'images aquatiques que développe le roman. L'eau est omniprésente dans le réseau métaphorique de *L'Éducation sentimentale*, ne serait-ce que dans le nom du héros (Moreau) qui associe la mort et l'eau et livre une des clés de lecture de ce symbolisme aquatique : l'eau y figure le risque de décomposition, de dissolution qui guette tant le jeune Frédéric, incapable d'agir, de se définir comme sujet véritable, que l'histoire de 1848, farce grotesque, qui ne pourra rien fonder de solide. Dans ce roman de l'échec, le symbolisme aquatique est alors tout aussi capital que le travail rigoureux de documentation mené par Flaubert. La métaphore figure la logique à l'œuvre dans le texte. Le réel est ainsi appréhendé, donné à voir, à travers ce filtre symbolique. Manière de donner tout son sens à cette affirmation de Champfleury : « La reproduction de la nature par l'homme ne sera jamais une *reproduction* ni une *imitation*, ce sera toujours une *interprétation.* »

La question du style

Le réalisme : une négation du style ?

Par son attachement à la reproduction exacte et fidèle du réel, le réalisme, dans certaines de ses formulations outrancières, a pu paraître comme une négation du style. Zola, dans ses textes théoriques, résume clairement cette position : « Je voulais bien une composition simple, une langue nette, quelque chose comme une maison de verre laissant voir les idées à l'intérieur. Je rêvais même le dédain de la rhétorique, les documents humains donnés dans leur nudité sévère » (*Les Romanciers naturalistes*, 1881). Cette maison de verre traduit l'idée d'une écriture, d'un style, qui se fasse oublier comme écriture. Auparavant, Champfleury et Duranty, théoriciens du réalisme, avaient une position assez voisine, qui demandait le style le plus simple possible, accessible à tous. En réalité, de telles positions ne sont guère tenables : à les suivre on réduirait la littérature au simple « reportage ». La question du style est ainsi une des plus épineuses pour le réalisme : toujours suspect d'être une trahison du réel tel qu'il est, le travail sur le style, la mise en forme rhétorique ont souvent été déniés par les réalistes.

Du côté des fondateurs, Stendhal s'est montré particulièrement méfiant face au « style », notion qu'il réfère avant tout aux romantiques et à leur manie de la rhétorique flamboyante, emphatique, c'est-à-dire creuse à ses yeux. Pour lui, le travail sur le style ne doit aucunement masquer l'idée ou rendre ambigu le message que le texte entend faire passer. Sa définition du style est résumée par une métaphore célèbre, celle du « vernis transparent » (« Le style doit être comme un vernis transparent : il ne doit pas altérer les couleurs ou les faits et pensées sur lesquels il est placé »), où se retrouve l'idée phare de l'écriture stendhalienne : la transparence, la clarté. Nathalie Sarraute a parfaitement caractérisé le style de Stendhal : « style sec, direct, parfaitement naturel et comme allant de soi, pur de toute redondance, dénué de coquetterie, dépouillé à l'extrême, transparent, invisible » (*Flaubert le précurseur*, 1965). *Le Rouge et le Noir* frappe ainsi par son écriture serrée, au risque parfois de la sécheresse : un style de « chronique », le seul à même de rendre exactement « la vérité, l'âpre vérité » de la société de 1830. Le « style » réaliste s'établit donc d'entrée de jeu contre l'image d'un style romantique, très travaillé, d'une rhétorique envahissante et voyante. Cet idéal de clarté et de simplicité se retrouve chez un Maupassant, qui, en disciple de Flaubert, atteint une perfection formelle qu'on peut assimiler à une sorte de classicisme. Sa langue, de son propre aveu, est « claire, logique et nerveuse » (préface de *Pierre et Jean*), en accord avec le génie propre de la langue française que Maupassant définit comme « une eau pure que les écrivains maniérés n'ont jamais et ne pourront jamais troubler » (préface de *Pierre et Jean*).

Il faut toutefois noter que bien des auteurs réalistes souligneront l'importance du travail sur la forme et le style, au point d'en faire parfois leur but avoué, comme c'est le cas chez Flaubert et les Goncourt.

Flaubert et la sacralisation du style

Flaubert, dont on a fait, à son corps défendant, le parangon du réalisme, n'a cessé de clamer sa vie durant que sa seule véritable préoccupation était celle du style. Il a fait du style un idéal auquel il s'est dévoué dans un travail acharné. Sa riche et lumineuse *Correspondance* ne fait qu'affirmer la priorité de ce que Flaubert appelle « l'art », et que nous appellerions aujourd'hui la « poétique ». Face au matérialisme des auteurs réalistes et naturalistes, préoccupés avant tout de leur sujet, Flaubert pose le primat absolu du travail artistique. Le sujet à ses yeux n'est rien, seule compte sa mise en forme par le style. « Je regarde comme très secondaire, écrit-il à George Sand, le détail technique, le renseignement local, enfin le côté historique et exact des choses. Je recherche par-dessus tout la beauté dont tous mes compagnons [Zola et l'ensemble des « naturalistes »] sont médiocrement en quête » (lettre de décembre 1875). Sa conviction est que la beauté réside, à l'intérieur de l'œuvre, dans l'accord parfait entre les détails qui la constituent, dans un caractère « harmonique » de l'œuvre. La *Correspondance* regorge de formules établissant une claire hiérarchie, comme « le style est tout », « ce que l'on dit n'est rien, la façon dont on le dit est tout », ou encore « le style est à lui seul une manière absolue de voir les choses » (lettre à Louise Colet, 16 janvier 1852). Cette primauté du travail artistique est précisément ce qui manque à Balzac selon Flaubert, qui, tout en reconnaissant le génie de l'auteur de *La Comédie humaine*, note : « Quel homme eût été Balzac s'il eût su écrire ! » (lettre à Louise Colet du 16 décembre 1852). Dans ce jugement, Flaubert reprend un *topos* critique qui aura la vie dure : celui du mauvais style de Balzac.

Cette primauté du style sur le sujet est manifeste avec *Madame Bovary*. Flaubert choisit délibérément, avec l'histoire d'une petite provinciale, un sujet banal, médiocre, qui se rapproche le plus possible du « rien » insignifiant. À propos de ce roman, il présente ainsi son idéal : « Ce qui me semble beau, ce que je voudrais faire, c'est un livre sur rien, un livre sans attache extérieure, qui se tiendrait de lui-même par la force interne de son style » (lettre à Louise Colet, 16 janvier 1852). Et de fait, l'écriture du roman a fixé la légende d'un Flaubert martyr du style : il lui a fallu pas moins de cinq ans d'un travail harassant pour transformer ce « rien » du sujet en chef-d'œuvre. Il passe parfois des jours entiers sur une seule phrase. Chaque phrase, chaque mot est pesé, examiné, testé à ce que Flaubert appelle le « gueuloir » (dans son pavillon de Croisset, il « gueule » littéralement ses phrases pour juger de leur tenue et de l'effet produit), pour parvenir à une prose aussi riche et maîtrisée que la langue poétique. Chasse aux répétitions, attention à la musicalité, recherche du mot parfaitement juste, élaboration d'un rythme qui rende la phrase en prose aussi « inchangeable » qu'un vers : l'idéal que poursuit Flaubert est celui d'un style harmonieux et lisse. La beauté de la phrase devient alors le garant de sa vérité, bien plus que sa conformité avec un réel extérieur au texte.

Les Goncourt et l'écriture artiste

Adeptes, on l'a vu, du document et d'une littérature fondée sur l'observation, les frères Goncourt ont néanmoins toujours insisté sur les exigences du style et revendiqué en la matière ce qu'Edmond de Goncourt nomme dans la préface des *Frères Zemganno* (1879) une « écriture *artiste* », qui propose un réalisme styliste.

Il s'agit d'une écriture du raffinement stylistique, fondée sur une syntaxe souvent malmenée, papillotante, volontiers paratactique, qui casse le rythme des grandes périodes classiques au profit de phrases nominales et du compte rendu d'impressions isolées, et sur un vocabulaire novateur, qui privilégie les épithètes rares, les néologismes, les termes techniques empruntés à l'art, etc. Il s'agit ainsi de créer une sorte de prose poétique où les distorsions de la syntaxe, les surprises du lexique tentent de restituer le vif des sensations.

Cette écriture artiste n'a pas manqué de susciter, dès l'origine, le rejet, en particulier de la part des romanciers réalistes et/ou naturalistes qui voyaient dans ce travail stylistique un raffinement d'esthètes, une attitude précieuse et gratuite, peu compatible avec la visée représentative, mimétique et transparente de l'esthétique réaliste. Maupassant, par exemple, dans la préface de *Pierre et Jean* souligne qu'« il n'est point besoin du vocabulaire bizarre, compliqué, nombreux et chinois qu'on nous impose aujourd'hui sous le nom d'écriture artiste ». Mais c'est manquer le projet même de l'écriture artiste des Goncourt : ils entendent rendre par ce chatoiement et ces brisures du style les apparences dans toute leur évanescence (ainsi l'aspect changeant des choses à la tombée du jour dans certaines descriptions de Rome dans

Madame Gervaisais), dans le choc aussi de leur juxtaposition ou de leur surgissement (l'hétéroclite des quartiers de banlieue dans *Germinie Lacerteux*, par exemple). Ce que l'écriture artiste s'efforce de saisir et de rendre, ce n'est pas la connaissance objective de la réalité mais l'impression sensible que cette réalité laisse en nous : il s'agit d'une approche « perceptiviste » des choses, qui n'est pas sans rappeler le développement et les principes de l'impressionnisme en peinture.

Comme Flaubert, les Goncourt en viennent à insister sur le primat du style : l'essentiel n'est pas tant pour eux, en fin de compte, dans le rendu du document qui sert de point de départ à l'œuvre mais dans sa recomposition stylistique dans l'espace de l'œuvre. Le sujet s'efface derrière sa mise en forme.

L'énonciation réaliste

L'un des traits les plus mouvants de l'écriture réaliste concerne le statut de l'énonciation, la position de l'auteur face à son récit. On a souvent réduit le réalisme à l'idée d'impersonnalité, particulièrement mise en avant par Flaubert. Selon lui, l'auteur ne doit pas intervenir dans le récit, ne doit pas se montrer dans son œuvre, ne doit exposer ni ses sentiments ni ses idées. La voix de l'auteur doit se faire le plus neutre possible. Cet idéal d'impersonnalité et de retrait de l'auteur hors de son texte est très évidemment construit en réaction au romantisme, qui s'affiche au contraire comme une littérature où le moi de l'auteur, sa personnalité s'expriment dans le texte. Pour Flaubert « l'artiste doit être dans son œuvre comme Dieu dans la création, invisible et tout-puissant; qu'on le sente partout, mais qu'on ne le voie pas » (lettre à Mlle Leroyer de Chantepie, 18 mars 1857). La règle est la suivante : « Nul lyrisme, pas de réflexions, personnalité de l'auteur absente » (lettre à Louise Colet, 3 avril 1852). Ce culte de l'impassibilité traduit par excellence la posture de l'observateur ou du savant qui est celle de l'auteur réaliste. Le refus de l'intervention personnelle est comme le garant du respect de la vérité. Le monde extérieur, les objets semblent alors se présenter d'eux-mêmes et paraissent dotés chez Flaubert d'une présence étrangement indépendante. Ce dogme de l'impersonnalité doit se comprendre également comme une manière pour Flaubert d'être partout, dans le moindre détail de son récit, dans une sorte de panthéisme qui fait que le dieu romancier s'identifie à chaque élément de sa création, comme le montre ce passage d'une lettre évoquant l'écriture des promenades d'Emma et de Rodolphe dans *Madame Bovary* : « C'est une délicieuse chose que d'écrire, que de n'être plus soi, mais de circuler dans toute la création dont on parle. Aujourd'hui, par exemple, homme et femme tout ensemble, amant et maîtresse à la fois, je me suis promené à cheval dans une forêt, et j'étais les chevaux, les feuilles, le vent, les paroles qu'on se disait » (lettre de novembre 1853).

On retrouvera ce retrait de l'auteur chez Zola, où le narrateur s'efface toujours derrière ses personnages : c'est par eux que transite et qu'est délivré le savoir sur le monde que Zola entend décrire dans tel ou tel roman. L'auteur s'absente et parle comme par procuration.

Mais ces revendications d'impersonnalité et d'impassibilité ne doivent pas faire oublier toute une autre tendance du réalisme, représentée par Stendhal et Balzac, qui, au contraire, est fondée sur l'intervention fréquente de l'auteur dans son texte. Balzac n'hésite pas à faire dans ses romans des intrusions remarquées, souvent longues, pour tenir un discours, prendre position sur la marche de la société contemporaine ou livrer une information (sur le développement de l'imprimerie ou sur l'histoire du papier au début d'*Illusions perdues*). Le narrateur balzacien, en plus d'être omniscient, est toujours bavard : le savoir que délivre le roman passe clairement par lui. Stendhal est célèbre pour ses interventions d'auteur : dans *Le Rouge et le Noir*, dans *Lucien Leuwen* comme dans *La Chartreuse de Parme*, il intervient pour juger ses personnages, souvent dans une attitude de tendresse amusée qui pointe les ridicules de celui qu'il appelle « notre héros », pour afficher ses positions politiques (au début du *Rouge et le Noir,* il se définit ainsi comme « libéral ») ou pour interpeller le lecteur et établir avec lui une connivence, comme l'avaient fait déjà, au XVIIIe siècle, Fielding, Sterne ou Diderot. Ces interventions font de l'auteur stendhalien un personnage de son propre texte.

Genres et frontières

Le réalisme s'est surtout développé dans deux genres littéraires : le roman et la nouvelle. Il a très peu investi la poésie, même si certains poèmes en prose de Baudelaire dans *Le Spleen de Paris*, qui décrivent à petites touches le Paris contemporain, ou un recueil comme *Les Villes tentaculaires* (1895) du poète belge Émile Verhaeren (1855-1916), qui fait place à la modernité urbaine et industrielle, pourraient sans doute être rapprochés de certains traits de l'esthétique réaliste. De même, il s'est peu illustré au théâtre, en France tout au moins. C'est surtout en Europe que s'est développé un théâtre qui représente fidèlement la vie quotidienne, propose une peinture de la vie bourgeoise : Anton Tchekhov (1860-1904) propose ainsi un tableau sociologiquement aigu de la province russe à la fin du XIXe et des mutations sociales en Russie dans des pièces comme *Ivanov* (1887), *Oncle Vania* (1899), *La Cerisaie* (1904). Le Norvégien Henrik Ibsen (1828-1906) donne quelques grandes pièces sociales ou naturalistes (*Maison de poupée*, 1879 ; *Les Revenants*, 1881 ; *Hedda Gabler*, 1890). Le Suédois August Strindberg (1849-1912), influencé par Vallès et Zola, propose certaines des pièces les plus intéressantes du répertoire réaliste/naturaliste : *Père* (1887), *Mademoiselle Julie* (1888), *Créanciers* (1888).

Le roman

Le roman est par excellence le genre illustré par le réalisme. C'est même le réalisme qui a donné ses lettres de noblesse à un genre qui jusque-là en manquait encore et qui l'a définitivement installé en haut de la hiérarchie des genres. Au moment où Balzac et Stendhal composent leurs œuvres, le roman est encore considéré comme un genre mineur et décrié. Il est révélateur, par exemple, que Balzac ne se définisse pas comme romancier mais plutôt comme « historien ». Par la masse de sa production, il a imposé le roman comme forme littéraire première du réalisme. Flaubert, le styliste, lui a conféré sa dignité esthétique, en en faisant le lieu de l'aventure d'une écriture.

Si le réalisme s'identifie à ce point au roman, c'est qu'il s'agit d'une forme souple, sans règles, qui n'est soumise à aucune contrainte de temps ou d'espace et peut donc accueillir toute la « prose du monde », peindre tous les secteurs de la société (puisque aucun sujet ne lui est a priori interdit). Il permet en outre une grande liberté formelle (il intègre le dialogue, la description, la narration, le monologue intérieur, etc.). Il est donc le meilleur instrument pour la peinture détaillée de la diversité du monde.

On constate que partout en Europe, où l'esthétique réaliste s'est imposée au XIXe siècle, c'est essentiellement par et dans le roman : on l'observe aussi bien en Angleterre qu'en Italie ou en Russie.

À la recherche de la vraie Russie – Après la France, c'est sans doute en Russie que le réalisme s'est le plus développé. Le roman russe du XIXe siècle en témoigne, avec des géants comme Gogol, Tourgueniev et surtout Dostoïevski et Tolstoï. Avant la grande floraison romanesque russe, le débat sur le réalisme a été agité par le critique Vissarion Bielinski (1811-1848), maître à penser d'une génération. Tourné vers l'Occident, grand admirateur de George Sand, Bielinski se fait l'apôtre d'une littérature au service du peuple qui agite essentiellement des questions sociales. L'art selon lui doit refléter la réalité : selon lui, le maître du réalisme russe est Gogol qui dénonce les vices sociaux de la Russie (mais c'est oublier un peu vite toute la dimension fantastique de l'œuvre de Gogol…). Les idées de Bielinski ont été à l'origine de ce qu'on a appelé « l'école naturelle » et qui occupe les années 1840 en Russie tout en suscitant un large débat critique : cette « école naturelle » était synonyme d'un réalisme donnant une image photographique du quotidien des petites gens des villes et des campagnes. Malgré la censure et les critiques hostiles, l'école naturelle assura le succès du réalisme critique en tant que tendance forte de la littérature russe du XIXe siècle. Même si l'école perd son rôle phare à la fin des années 1840, elle a permis l'émergence de grands talents, comme le Dostoïevski des *Pauvres Gens* et le Tourgueniev des *Récits d'un chasseur*. Mais c'est surtout des années 1860 à 1880 que s'épanouit le grand roman russe, souvent animé d'une vaste ambition : dire la vérité sur la Russie et sur l'homme. Cette quête philosophique et métaphysique fait l'originalité du réalisme russe.

Nicolas Gogol (1809-1852) dans *Les Âmes mortes* (1842) propose ainsi un défilé de propriétaires campagnards transformé en épopée de la platitude et de la grisaille provinciale. L'esprit sarcastique de Gogol campe des « héros » qui ne brillent que par leur insignifiance, leur bassesse, leur trivialité.

Ivan Tourgueniev (1818-1883) est de tous les romanciers russes le « classique » par excellence grâce à une langue et un style d'une élégance très concertée. Admiré des réalistes Duranty et Champfleury, Tourgueniev fut aussi un des correspondants de Flaubert. Sa prose est proche de celle de l'ermite de Croisset. Tourgueniev s'est voulu le probe chroniqueur de son temps dans des romans souvent courts qui intègrent toujours une donnée sociale (aspects inhumains du servage, disparition des gentilshommes et montée des « hommes nouveaux ») : *Roudine* (1856), *Un nid de gentilshommes* (1859), *Premier Amour* (1860), *Pères et fils* (1862).

Fedor Dostoïevski (1821-1881), à partir d'intrigues toujours situées dans la réalité sociale de la Russie contemporaine, fait du roman le lieu d'une interrogation métaphysique sur la liberté, le bien et le mal, Dieu et le diable. Ses romans polyphoniques et tourmentés, dont l'intrigue témoigne d'une complexité égale à celle de la vie intérieure de l'homme, fondés souvent sur un suspense fort, en font l'antipode du clair et poétique Tourgueniev : *Crime et châtiment* (1866), *L'Idiot* (1868-1869), *Les Démons* (1871-1872), *Les Frères Karamazov* (1879-1880) comptent parmi ses chefs-d'œuvre.

Léon Tolstoï (1828-1910) reste à jamais l'auteur de deux chefs-d'œuvre absolus, deux romans-fleuves, deux vastes épopées modernes : *Guerre et Paix* (1863-1869) et *Anna Karenine* (1875-1877). Le premier dépeint la guerre de la Russie contre Napoléon au début du XIXe siècle et vise l'authenticité en montrant la « vie ordinaire » au cœur même de la crise historique. La description des batailles faite d'après le regard des participants emprunte à Stendhal sa méthode (« Si je n'avais pas lu *La Chartreuse de Parme*, écrit Tolstoï à Gorki, je n'aurais jamais été en mesure d'écrire les scènes de bataille de *Guerre et Paix* »). Le second est une tragédie qui conduit Anna, la femme adultère, au suicide. Plus axé sur les questions d'actualité que *Guerre et Paix*, le roman peint une passion amoureuse dévorante dans un monde qui la contrarie : ainsi tout un pan de l'œuvre propose la critique d'une société qui repose sur l'hypocrisie et tue les vrais sentiments. La réalité sociale que Tolstoï y dépeint est une grande foire aux vanités. L'œuvre a été souvent rapprochée de *Madame Bovary*.

L'Angleterre victorienne – Le roman anglais du XIXe siècle fait montre d'une très grande richesse et d'une diversité exemplaire. La veine « réaliste », ou plutôt le roman social, y est décisive pendant la période dite « victorienne » (1837-1901) du nom de la reine Victoria. Le nom de Charles Dickens (1812-1870) y est définitivement attaché. Pourvu d'une profonde conscience sociale, aiguisée par la pauvreté qu'il a connue enfant, il est le peintre de la misère dans la société victorienne dans son *Oliver Twist* (1838), conçu comme une critique de la loi sur les pauvres de 1824 et offrant un tableau saisissant et réaliste – mais aussi mélodramatique – du milieu des voleurs dans les bas-fonds de Londres. *David Copperfield* (1850), son autre grand succès, plaide encore pour la cause des laissés-pour-compte et tout particulièrement des enfants, dont le point de vue sur le monde environnant est recréé dans le roman, tout comme dans *Nicolas Nickleby* (1838). Son amour du peuple explique sans doute l'influence que Dickens a exercée sur les romanciers russes (Gogol, Dostoïevski, Tolstoï). Ses personnages sont toujours vus « en situation », et, comme Balzac, Dickens semble avoir voulu concurrencer l'état civil pour offrir une image de la vie plus vraie que la vie.

William Makepeace Thackeray (1811-1863) est un des romanciers qui ont le mieux exploré les transformations de la société anglaise dans la première moitié du siècle. Il ne cesse de dénoncer les abus de pouvoir, l'égoïsme, l'hypocrisie et la prétention des classes aisées. Héritier des grands satiristes du XVIIIe siècle (Swift et Fielding), il contemple le monde avec un détachement ironique. *Vanity Fair* (1848, *La Foire aux vanités*), son chef-d'œuvre, est une description de la haute bourgeoisie londonienne au début du XIXe siècle et l'épopée d'une intrigante, Becky Sharp, qui ne recule devant aucun moyen pour satisfaire son ambition. Thackeray s'y veut le peintre fidèle d'une société dont le titre du roman dit d'emblée les faiblesses. Le réalisme de Thackeray est sans doute moins critique que celui de Dickens : s'il critique les institutions et la morale de son temps, il ne les renie jamais totalement : il s'en amuse.

À côté de Thackeray, Anthony Trollope (1815-1882) a fait du roman le reflet de la société victorienne. Cet employé des postes, qui tous les matins consacrait trois heures (sur son temps de bureau !) à composer ses romans (51 au total), excelle dans la description des petites villes de province, de leurs notables, des intrigues de leur clergé. Ces dernières par exemple sont peintes dans les « chroniques du Barsetshire » (*Le Pasteur*, 1855 ; *Les Tours de Barchester*, 1857, *Le Docteur Thorne*, 1858 ; *La Cure de Framley*, 1861) qui montrent un microcosme religieux miné par des rivalités intestines.

Le « vérisme » italien – Les réalistes et naturalistes français (Balzac, Flaubert, Goncourt, Zola) obtiennent un très vif succès en Italie et influencent grandement ce qu'on a appelé le « vérisme » italien, qui s'écrit directement dans leur sillage. Son représentant essentiel est le Sicilien Giovanni Verga (1840-1922) avec des recueils de nouvelles comme *Vita dei campi* (1880, *Vie des champs*) et *Novelle rusticane* (1883, *Nouvelles paysannes*), et des romans comme *I Malavoglia* (1881, *Les Malavoglia*) et *Mastro Don Gesualdo* (1889, *Maître Don Gesualdo*). Verga accepte les principes du darwinisme et du naturalisme zolien (méthode expérimentale, impersonnalité du romancier). Il dépeint des paysans et des pêcheurs siciliens vaincus par la vie, humiliés par l'histoire, soumis à une nature hostile et à des conditions de vie difficiles. *Les Malavoglia* mettent ainsi en scène une famille de pêcheurs dans les années qui suivent l'unification de l'Italie (1861). *Mastro Don Gesualdo* témoigne d'une vision sombre du monde : Gesualdo Motta est maçon ; conquises de haute lutte, l'aisance matérielle et les terres lui donnent accès, par le biais de son mariage avec Bianca Trao, à un monde aristocratique qui ne l'acceptera jamais.

Le vérisme sicilien a été théorisé par le Catanais Luigi Capuana (1839-1915), qui découvre sa vocation littéraire en lisant Balzac, puis tous les réalistes français. Ses *Studi sulla letteratura contemporanea* (1880) contiennent l'essentiel de son esthétique : contre le moralisme il demande l'indépendance de l'art ; contre le roman-confession ou le roman à thèse, il proclame le dogme de l'impersonnalité ; contre les flamboiements et les dérives de l'imagination, il prescrit l'exactitude documentaire. Inspiré par le climat positiviste et scientiste qui s'empare de toute l'Europe de la seconde moitié du XIXe siècle, le vérisme prend aussi un caractère particulier, régionaliste et dialectal, au lendemain des désillusions apportées en Italie par le Risorgimento. Avec *Giacinta* (1879) et *Profumo* (1890), Capuana applique la méthode scientifique à l'étude d'un cas d'hystérie. Son œuvre principale est *Il marchese di Roccaverdina* (1901, *Le Marquis de Roccaverdina*), sorte de drame du remords situé dans un cadre typiquement sicilien.

La nouvelle

Le second genre dans lequel s'est tout particulièrement déployée l'esthétique réaliste est la nouvelle. Le XIXe siècle est en effet l'âge d'or du récit bref. À côté d'une veine fantaisiste et fantastique, se développe et s'affirme toute une veine réaliste de la nouvelle. Cette dernière correspond au goût pour le vrai, la tranche de vie, le fragment, l'instantané, qui caractérise l'esthétique réaliste.

La publication dans la presse – L'une des raisons de l'essor du récit bref est sans conteste le développement de la presse : revues et journaux se multiplient et suscitent des textes narratifs courts publiables en une seule livraison. Les écrivains, dont beaucoup (Zola ou Maupassant, par exemple) ont été aussi, au moins un temps, des journalistes, y trouvent une source de revenus non négligeable. Tous les grands romanciers réalistes furent également auteurs de « contes » ou de « nouvelles » – les deux termes sont utilisés indifféremment et témoignent d'un flou terminologique qui perdure pendant tout le siècle. Balzac, que l'on associe généralement au grand massif romanesque de *La Comédie humaine*, est aussi l'auteur d'un nombre important de nouvelles. Avant de devenir un étage essentiel de l'architecture d'ensemble de *La Comédie humaine*, les *Scènes de la vie privée* furent d'abord le titre d'un recueil de six nouvelles (1830) qui explorent les valeurs domestiques, liées à la maison, à la famille, à la femme (*La Vendetta*, *Les Dangers de l'inconduite*, *Le Bal de Sceaux*, *Gloire et malheur*, *La Femme vertueuse*, *La Paix du ménage*). Par la suite, Balzac ne cessera d'écrire des textes brefs, dont beaucoup sont demeurés célèbres : *Sarrasine* (1830), *La Femme abandonnée* (1833), *Z. Marcas* (1840), *Adieu* (1830), etc. Stendhal n'est pas en reste avec ses *Chroniques italiennes* (1839, puis publication complète posthume en 1855) ou *Mina de Vanghel* (publication posthume en 1854), ni Flaubert avec ses *Trois Contes* (1877), ni même Zola avec ses *Contes à Ninon* (1864). Mérimée est à retenir pour ses deux grandes nouvelles réalistes *Colomba* (1840) et *Carmen* (1845).

Un genre européen – Le développement de la nouvelle dépasse les frontières françaises et est un phénomène européen. La Russie en est un bon exemple. Ainsi, Tourgueniev, l'écrivain russe qui correspond le mieux à la définition française du « réalisme », est surtout connu pour ses *Récits d'un chasseur* (1852), recueil de nouvelles qui peignent le monde rural russe dans toute sa simplicité. Nicolas Gogol, dans ses *Récits de Saint-Pétersbourg*, mêle le quotidien morne, plat et vulgaire au fantastique, à l'humour ou à l'angoisse, comme dans *Le Nez, Le Manteau* ou *Le Journal d'un fou*. À la fin du siècle, Anton Tchekhov s'impose comme un des maîtres de la nouvelle réaliste (et humoristique), avec une multitude de récits décrivant des gens ordinaires, des personnages de tous milieux et de toutes conditions : véritable « comédie humaine » en fragments. Ses récits peignent le quotidien, la torpeur provinciale et empruntent à l'objectivité rigoureuse du médecin qu'était Tchekhov.

Le maître de la nouvelle : Maupassant – Mais c'est surtout Maupassant qui incarne la perfection de la nouvelle au XIXe siècle. Avec Tchekhov, il est le meilleur représentant du genre. Après *Boule de suif,* nouvelle publiée en 1880 dans *Les Soirées de Médan* et qui l'impose d'emblée sur la scène littéraire, Maupassant est l'auteur, en l'espace d'une dizaine d'années seulement, d'environ 300 contes et nouvelles, publiés d'abord en revue ou en journal avant d'être rassemblés dans des recueils comme : *La Maison Tellier* (1881), *Mademoiselle Fifi* (1882), *Les Contes de la bécasse* (1883), *Clair de lune* (1884), *Miss Harriett, Les Sœurs Rondoli, Yvette* (1884), *Les Contes du jour et de la nuit, Toine* (1885), *Monsieur Parent* (1886), *La Petite Roque* (1886), *Le Horla* (1887), *Le Rosier de Mme Husson* (1888), *La Main gauche* (1889), *L'Inutile Beauté* (1890). Cette vaste production se divise entre récits fantastiques, dont *Le Horla* est sans doute l'une des plus grandes réussites, et récits réalistes. Dans les uns comme dans les autres (puisque même le fantastique chez lui se déploie dans un cadre réaliste), Maupassant dresse un portrait fidèle de la société contemporaine avec ses bourgeois, ses paysans, ses viveurs, ses filles, ses militaires, ses curés, etc. Son univers semble présenter tout le spectre social. Il est attentif aux façons de faire et de parler de ses personnages, toujours campés dans leur environnement à partir de quelques traits rapides mais précis : le fermier normand dans son verger, le célibataire au café, la bourgeoise parisienne dans les petits meubles de son boudoir, etc. Les petites scènes de genre lui sont l'occasion de déployer une vision noire et pessimiste de l'humanité : rapacité, désir sexuel destructeur, jalousie et haines sont dans ses récits les choses du monde les mieux partagées et se révèlent à l'occasion de faits banals et anodins. La réussite de Maupassant s'explique par des exigences jamais abdiquées de simplicité et de condensation. Élève de Flaubert, qui l'a formé à l'écriture, il est surdoué pour l'observation et la description, use d'une langue toujours claire, logique, nerveuse et sait jouer des instances narratives : beaucoup de ses récits sont « encadrés » par le discours d'un narrateur qui les relate, procédé qui vise à rendre vraisemblable et à crédibiliser le récit dont le narrateur s'affirme le témoin.

à vous…

Dissertation

Dans *Roman des origines et origines du roman* (1972), Marthe Robert écrit : « Le roman ne parvient à convaincre de ses relations intimes avec la vérité que lorsqu'il ment à fond, avec assez d'habileté et de sérieux pour assurer à sa tromperie les meilleures chances de succès. » En vous appuyant sur des exemples précis, empruntés au roman réaliste, vous direz quelles réflexions vous inspire ce jugement.

Bilans

Du prolongement à la contestation

Réalisme et naturalisme

L'histoire littéraire oppose habituellement réalisme et naturalisme en faisant se suivre chronologiquement ces deux mouvements (1850-1865 / 1865-1893). Cette approche suppose une définition restrictive du réalisme, qui l'identifie à la seule période 1850-1865. Les choses sont en réalité beaucoup plus nuancées : Zola, par exemple, fondateur et chef de file incontesté du « naturalisme », a été systématiquement associé aux auteurs dits réalistes par les critiques qui à l'époque contestent et dénigrent le réalisme ; en 1875, l'article « Réalisme » du *Grand Dictionnaire universel du XIXe siècle* de Pierre Larousse classe Zola parmi les réalistes ; Maupassant, qu'on classe souvent parmi les naturalistes du fait de son appartenance à cette génération, doit en réalité beaucoup plus à Flaubert qu'à Zola et s'intéresse dans sa célèbre préface de *Pierre et Jean* aux « réalistes » et non aux naturalistes ; *Madame Bovary*, parangon du roman réaliste, est considéré par Zola comme un modèle d'œuvre « naturaliste », etc. Bref : le naturalisme est à englober dans le réalisme.

Brève histoire du mouvement naturaliste

En fait, si le naturalisme s'est imposé comme mouvement, c'est essentiellement parce que, beaucoup plus que le « réalisme », il a été abondamment théorisé et s'est constitué en « école », autour de

Zola. 1865 marque un tournant important : la parution de *Germinie Lacerteux* des frères Goncourt qui font entrer les basses classes dans le roman et celle de l'*Introduction à la médecine expérimentale* de Claude Bernard sont une révélation pour Zola qui commence alors à définir et circonscrire, par le biais d'articles, de comptes rendus d'œuvres ou de Salons (il défend la peinture nouvelle, Manet surtout, dans *Mon Salon* en 1866), ce qui deviendra le « naturalisme ». La publication de *Thérèse Raquin* (1867) marque la volonté de produire un roman nouveau, « scientifique ». Dès 1871, Zola inaugure avec *La Fortune des Rougon* sa grande fresque des *Rougon-Macquart*, « histoire naturelle et sociale d'une famille sous le second Empire », qui ne s'achèvera qu'avec *Le Docteur Pascal* en 1893. Cet ensemble de vingt romans est la réalisation romanesque la plus marquante du naturalisme. Autour de 1870, Zola se lie avec les Goncourt, Flaubert, Alphonse Daudet et Tourgueniev.

La grande période du naturalisme, son âge d'or, se situe entre 1875 et 1885 : les grandes œuvres se multiplient et le mouvement s'étend à l'étranger, notamment en Italie. Le rayonnement de Zola, son activité théorique attirent autour de lui de jeunes écrivains qui vont constituer le groupe naturaliste et tenter de s'imposer sur le devant de la scène littéraire : outre Paul Alexis (1847-1901), qui l'a rejoint depuis 1869, Henry Céard (1851-1924), Léon Hennique (1850-1935), Joris-Karl Huysmans (1848-1907), Octave Mirbeau (1848-1917) en particulier. Le 16 avril 1877, ces derniers offrent à ceux qu'ils considèrent comme les « maîtres » du naturalisme – Flaubert, Goncourt, Zola – un dîner chez Trapp, qui officialise en quelque sorte le mouvement. Zola multiplie les articles polémiques défendant le naturalisme. En 1879, il définit le « roman expérimental ». En 1880, la publication des *Soirées de Médan*, recueil de six nouvelles ayant pour cadre la guerre de 1870 et qui regroupe autour de Zola, Alexis, Céard, Hennique, Huysmans et Maupassant, apparaît aux yeux du public comme le manifeste du naturalisme et Zola fait figure de chef d'école : il rassemble ses articles théoriques sous le titre *Le Roman expérimental* (1880) puis *Les Romanciers naturalistes* (1881). Dans ce dernier ouvrage, il embrigade sous la bannière du naturalisme tous les grands romanciers réalistes du XIXe siècle (Stendhal, Balzac, Flaubert, Goncourt). Il voit en eux les fondateurs de la « formule naturaliste », c'est-à-dire du roman d'enquête et de documents humains.

Les dix années suivantes, de 1884 au milieu des années 1890, voient l'éclatement du mouvement naturaliste. Flaubert mort (en 1880), certains (comme Goncourt et Daudet) supportent mal la place de leader que s'octroie Zola. Diverses brouilles, tant personnelles qu'esthétiques, séparent les jeunes (Alexis excepté), qui veulent trouver une autre voie que celle de Zola : *Une belle journée* (1881) de Céard et surtout *À Rebours* (1884) de Huysmans en témoignent. Les attaques contre le naturalisme se font plus violentes, le roman psychologique (défendu par Paul Bourget) se développe en réaction au roman « expérimental ». En 1887, cinq jeunes écrivains – Paul Bonnetain (1858-1899), Lucien Descaves (1861-1949), Gustave Guiches (1860-1935), Paul Margueritte (1860-1918), Rosny aîné (1856-1940) – ne fréquentant pas les « jeudis » de Zola, mais plutôt la maison de Goncourt ou de Daudet, lancent contre *La Terre* de Zola un pamphlet virulent : le « Manifeste des Cinq » contre *La Terre* publié dans *Le Figaro* (18 août 1887). Ils attribuent le dernier roman de Zola « à une maladie des bas organes de l'écrivain » ou « au développement *inconscient* d'une boulimie de vente ». Ce manifeste signe une déroute du naturalisme. Lorsque Zola termine *Les Rougon-Macquart* en 1893, le roman psychologique a déjà gagné en importance : Paul Bourget, Pierre Loti, Anatole France et même Maupassant avec ses deux derniers romans (*Fort comme la mort*, 1889 ; *Notre cœur*, 1890) l'illustrent. Symbolisme et décadentisme s'épanouissent : une nouvelle époque et une nouvelle esthétique commencent.

Le naturalisme : définitions et principes

Le naturalisme en dehors de la littérature – Le terme de « naturalisme » revendiqué par Zola apparaît bien avant le XIXe siècle, dans trois domaines. Dans les sciences naturelles tout d'abord : depuis longtemps le mot désignait le savant qui étudie les sciences biologiques, qui s'occupe d'« histoire naturelle ». Dans la philosophie ensuite : est naturaliste celui qui « explique les phénomènes par les lois du mécanisme et sans recourir à des causes surnaturelles » (*Dictionnaire* de Furetière,

1727). Dans l'*Encyclopédie*, Diderot indique que « les naturalistes sont ceux qui n'admettent point de Dieu, mais qui croient qu'il n'y a qu'une substance matérielle. [...] Naturaliste en ce sens est synonyme d'athée, spinoziste, matérialiste, etc. ». Ce sens philosophique est encore bien vivant au XIXe siècle. Dans les beaux-arts enfin : dès le XVIIe siècle, l'art « naturaliste » est celui qui recherche l'imitation exacte de la nature. Ce sens artistique connaît un regain d'intérêt au XIXe siècle : dans le langage de la critique d'art, de 1840 à 1865, « naturaliste » devient un terme clé pour les critiques qui aiment et vantent les peintres de plein air. Dans ce cas, le terme « naturalisme » n'est pas réductible à celui de « réalisme » : il désigne l'attention portée aux aspects les plus plantureux et les plus opulents des êtres et de la nature. Le peintre réaliste reproduit l'image de l'objet de manière impersonnelle, le peintre naturaliste est un artiste de tempérament. Après 1860, le critique d'art Castagnary, pour désigner l'évolution de la peinture contemporaine vers la représentation du réel, répète inlassablement le mot, en particulier à propos de Courbet, de préférence à celui de « réalisme » qui depuis 1855 a des connotations triviales, voire injurieuses.

Le naturalisme comme infléchissement du réalisme – Dès 1865, Zola reprend le mot dans ses trois sens et l'utilise comme un drapeau pour imposer une nouvelle littérature. Les principes généraux sont ceux du réalisme : revendication d'une littérature « vraie » qui donne une image fidèle et exacte de la réalité contemporaine, figuration de l'histoire du moment (le second Empire pour Zola), adéquation de la littérature à son temps, roman fondé sur une documentation rigoureuse, refus de l'idéalisme mystique (qui célèbre le surnaturel et l'irrationnel) ou classique (qui étudie l'homme abstrait, l'homme métaphysique) comme du romantisme (qui nie le réel en lui substituant l'imaginaire). Les inflexions majeures que le naturalisme théorique apporte toutefois au réalisme sont de trois ordres :

– accentuation de l'aspect scientifique : entre le réalisme des années 1850 et le naturalisme de 1870-1890, il y a eu des progrès considérables des sciences, en particulier de la physiologie. Le roman naturaliste s'en fait l'écho. Champfleury déjà était attiré par l'étrange, la névrose, la folie. Mais les naturalistes vont utiliser beaucoup plus systématiquement les découvertes des médecins (Moreau de Tours, Lucas, Morel, Trélat) en privilégiant l'étude des dégénérescences, de la folie, de la névrose, en traquant l'hérédité et tout ce qui se passe sous la peau.

– idée d'un « roman expérimental » : c'est en 1879 que Zola introduit ce nouvel élément dans la « doctrine » naturaliste, sur le modèle de l'*Introduction à la médecine expérimentale* de Claude Bernard. Il s'agit d'une transposition de méthode : Zola veut appliquer la méthode que le savant utilise pour l'étude des corps bruts, en chimie et en physique, à celle des corps vivants, aux faits humains et sociaux. Comme le biologiste qui pratique des expériences sur les animaux pour découvrir les lois de la vie organique, le romancier naturaliste, à la fois « observateur » et « expérimentateur », « fait mouvoir les personnages dans une histoire particulière, pour y montrer que la succession des faits y sera telle que l'exige le déterminisme des phénomènes mis à l'étude » (Zola).

– insistance sur le « tempérament » : les réalistes avaient proclamé un idéal d'impersonnalité ; les naturalistes, à commencer par Zola, vont au contraire revendiquer l'importance du tempérament, de la personnalité du romancier, idée quelque peu contradictoire avec celle de la méthode scientifique ou « expérimentale ». Pour Zola, le naturalisme trouve son équilibre dans l'alliance de la « méthode analytique » et du « tempérament » et une œuvre d'art est « un coin de la nature vu à travers un tempérament ». C'est ce qui fait toute la différence entre le réalisme de Champfleury et le naturalisme de Zola.

Héritages du réalisme au XXe siècle

Le « réalisme » ne se réduit pas au seul XIXe siècle. Le modèle romanesque mis en place par Balzac, Stendhal, Flaubert et Zola, perdure au XXe siècle. L'héritage du mouvement réaliste est considérable et bien des auteurs contemporains attachés à un type de représentation romanesque fondé sur la *mimesis* du social lui sont redevables.

Les fresques romanesques – À côté des deux géants que sont Proust et Céline, pas toujours éloignés du réalisme, nombre de romanciers de l'entre-deux-guerres n'ont fait que prolonger la formule réaliste, sans la renouveler véritablement. La volonté de peinture d'un moment d'histoire contemporaine et des mœurs sociales se retrouve ainsi dans la grande fresque de Roger Martin du Gard : *Les Thibault* (1922-1940). Ce cycle romanesque en huit parties évoque la vie de deux familles bourgeoises, celle des Thibault et celle des Fontanin, entre 1904 et 1918, ainsi que les bouleversements apportés dans les destinées individuelles par le cataclysme de la guerre. Ainsi se mêlent chronique familiale et fresque historique, comme chez Zola. C'est aussi un regard aigu porté sur la bourgeoisie d'avant-guerre dont le romancier fait la satire, dans la lignée directe du roman réaliste du siècle précédent. De même, Jules Romains dans sa fresque romanesque des *Hommes de bonne volonté* (27 tomes, 1932-1946) a l'ambition du tableau social. Il s'agit d'une fresque de la société française du premier tiers du XXe siècle : tous les milieux, toutes les professions, toutes les préoccupations de la France de 1908 à 1933 sont représentés dans un ensemble dont l'ambition réaliste, dans la lignée de Balzac et Zola, est modulée par le projet de faire toute lumière sur les dynamismes humains, ferments de l'évolution sociale. Il s'agit pour Jules Romains de mettre en scène « l'unanimisme », c'est-à-dire l'idée d'une communion profonde entre les êtres humains, unis dans une sorte d'« âme collective ».

Georges Simenon (1903-1989), le créateur du fameux commissaire Maigret, est lui aussi un continuateur du réalisme. Son œuvre, extrêmement abondante (193 romans), se divise en deux séries : l'une s'organise autour des enquêtes de Maigret, les autres créent une atmosphère pesante dans laquelle les êtres sont voués à une destinée malheureuse. Simenon n'est pas qu'un auteur de romans policiers. Il est aussi, par l'évocation de lieux variés, décrits en touches brèves mais précises, par la restitution des mœurs et du langage des différents groupes sociaux, un grand romancier réaliste.

En écho au réalisme socialiste – Mais c'est sans doute Louis Aragon (1897-1982) qui a le plus réfléchi au XXe siècle à la notion de « réalisme » et qui a le plus explicitement situé sa propre pratique romanesque par rapport à l'esthétique réaliste du XIXe siècle. Après un passage par le surréalisme dans les années 1920, Aragon revient au genre romanesque avec ce qu'il a appelé le « Cycle du monde réel », véritable analyse critique de la France bourgeoise de 1890 à 1940 : *Les Cloches de Bâle* (1934), *Les Beaux Quartiers* (1936), *Aurélien* (1945), *Les Communistes* (1949). Aragon, membre du parti communiste, est intéressé par le « réalisme socialiste » qui se développe en Russie : il soutient, quoique avec des réserves, les thèses de Jdanov qui voit dans la littérature et dans l'art le reflet d'un monde dominé par la lutte des classes et qui entend que le roman célèbre les louanges du modèle socialiste. Ainsi, *Les Beaux Quartiers* relatent les apprentissages divergents des deux fils du docteur Barbentane, qui, montés de province à Paris, se heurtent à la réalité sociale et choisissent des camps opposés, l'idéologie marxiste fait qu'Aragon oppose un héros positif, Armand, à un monde en décomposition morale, soumis au pouvoir de l'argent auquel son frère Edmond succombe. Mais le « Cycle du monde réel » dépasse de beaucoup le dogmatisme du « réalisme socialiste ». Aragon propose un réalisme renouvelé et se réclame du modèle de Stendhal, Balzac, Zola mais aussi de Courbet et Manet.

Vers une dégradation du réalisme – Enfin, la plupart des romans de moindre importance du XXe et du XXIe siècle, toute la littérature romanesque de second rayon, s'affilie massivement à l'esthétique du roman réaliste et à son goût de la peinture sociale et des personnages soigneusement typés : formule romanesque solidement éprouvée, modèle de construction du récit, le réalisme n'est plus dans ce cas qu'une convention littéraire encore active mais qui a perdu sa force véritablement *critique*.

Le réalisme remis en cause : le Nouveau Roman

L'objet du roman est le roman

Il faut attendre les années 1950-1960 pour que le modèle du roman réaliste élaboré tout au long du XIXe siècle soit frontalement et directement remis en cause. C'est ce qu'on a appelé le « Nouveau Roman » qui a produit le questionnement le plus critique. On regroupe sous cette étiquette toute une série d'écrivains publiés essentiellement aux Éditions de Minuit : Alain Robbe-Grillet, Claude Simon, Michel Butor, Robert Pinget, Nathalie Sarraute, Claude Ollier et Jean Ricardou. Tous dénoncent dans le roman réaliste du XIXe une série d'illusions. Leurs prises de position donnent lieu à toute une série de textes théoriques : *L'Ère du soupçon* (1956) de Nathalie Sarraute, *Pour un nouveau roman* (1963) de Robbe-Grillet, *Essais sur le roman* (1964) de Michel Butor, *Problèmes du nouveau roman* (1967) et *Pour une théorie du nouveau roman* (1971) de Jean Ricardou. Ils remettent en cause l'idée même de représentation sur laquelle est fondé le roman réaliste. L'idée selon laquelle le roman pourrait être un reflet du monde réel leur semble une illusion : « Nos romans n'ont pour but ni de faire vivre des personnages ni de raconter des histoires », écrit ainsi Robbe-Grillet. L'objet du roman, ce n'est plus le monde ou le réel, mais le roman, le texte lui-même. Selon une formule célèbre de Jean Ricardou, le Nouveau Roman n'est plus « l'écriture d'une aventure », mais « l'aventure d'une écriture ». L'écriture ne vise plus à élaborer une *mimesis* du monde mais à s'interroger sur ses possibles et à se refléter elle-même, avec cette idée que le texte ne peut pas reproduire le monde, ne peut plus en être le « miroir ». L'ordre de la littérature est radicalement distinct de l'ordre de la réalité.

À partir de là, ces auteurs rejettent les instances romanesques traditionnelles du réalisme : personnages, récit, description.

L'adieu aux personnages

Le personnage en particulier est l'objet des attaques les plus nourries. La conception balzacienne du personnage pourvu d'un nom, d'un portrait physique, de traits psychologiques stables, d'une identité forte, d'une fiche d'état civil et inséré dans un milieu qui le détermine et l'explique, est considérée comme anachronique et incapable de rendre compte de la société moderne du XXe siècle. Le Nouveau Roman ne croit plus au personnage, notion « périmée » selon Robbe-Grillet et qui était le pivot du roman réaliste : la psychanalyse a révélé les incohérences et les zones d'ombre de la personnalité ; la société de masse marque le triomphe de l'anonymat. Le héros du roman réaliste laisse alors la place à des silhouettes peu individualisées, parfois réduites à une simple initiale ou à un pronom personnel : le narrateur-personnage de *La Jalousie* (1957) est réduit à un simple regard, son épouse n'est identifiée que par l'initiale A. Nathalie Sarraute dans *Tropismes* (1939) comme dans tout le reste de son œuvre ne s'intéresse qu'à des personnages imprécis, le plus souvent anonymes, qui ne sont que le support de « tropismes », c'est-à-dire de « mouvements indéfinissables qui glissent très rapidement aux limites de notre conscience » et qui sont « la source secrète de notre existence ». Le personnage n'a ainsi plus de psychologie ni d'existence sociale.

Un récit discontinu dans un monde réifié

L'intrigue, qui assurait la cohérence du roman réaliste où elle était le plus souvent linéaire et déroulait le destin de son héros, est mise à mal. Le Nouveau Roman privilégie la discontinuité et fait éclater le récit. L'organisation chronologique du récit est rejetée. Au lieu de progresser, l'histoire se répète avec des variations. Ainsi dans *Degrés* (1960) de Michel Butor, trois narrateurs tentent en vain de raconter la même heure d'un cours d'histoire ou dans *La Jalousie* de Robbe-Grillet les mêmes scènes reviennent de manière obsessionnelle.

La description envahit souvent le Nouveau Roman, au point qu'on a pu parler à son sujet d'une « école du regard » (Roland Barthes), mais elle a complètement changé de sens. Dans le roman réaliste, elle était le lieu par excellence où s'affichait l'ambition mimétique, la volonté de dire le monde. Dans le Nouveau Roman, envahi par les objets, la description est purement « objectale », elle ne délivre plus aucun sens, ne « représente » rien d'autre qu'elle-même. Dans *Les Gommes* (1953) de Robbe-Grillet est ainsi décrit un quartier de tomates avec une minutie et une rigueur d'entomologiste, jusqu'à la « mince couche de gelée verdâtre » entourant les pépins. Ces descriptions donnent à voir un monde totalement réifié.

Entre reprises, prolongements et contestations, le « réalisme » au XXe siècle n'en finit pas de faire parler de lui. On l'invoque également dans le domaine artistique (pour le cinéma avec le « néo-réalisme » italien, pour la peinture avec le « nouveau réalisme » ou l'« hyperréalisme », etc.). Preuve qu'il s'agit d'une notion capitale de l'histoire littéraire, esthétique et culturelle qui permet de penser et de problématiser le lien de l'art et du monde.

à vous...

Dissertation

Dans *Le Rouge et le Noir*, Stendhal affirme : « Un roman : c'est un miroir qu'on promène le long d'un chemin. » En vous référant aux œuvres étudiées en cours et à vos lectures personnelles, vous direz dans quelle mesure ce jugement vous paraît une définition pertinente du roman réaliste. Vous en examinerez aussi les éventuelles limites.

Bibliographie

Sur la question du réalisme

Erich Auerbach, *Mimesis. La représentation de la réalité dans la littérature occidentale*, Paris, Gallimard, coll. « Tel », 1977.

Le Discours réaliste, numéro spécial de la revue *Poétique*, n°16, 1973.

Jacques Dubois, *Les Romanciers du réel. De Balzac à Simenon*, Paris, Seuil, coll. « Points », 2000.

Philippe Dufour, *Le Réalisme*, Paris, PUF, coll. « Premier cycle », 1998.

Littérature et réalité (articles de R. Barthes, L. Bersani, Ph. Hamon, M. Riffaterre, I. Watt), Paris, Seuil, coll. « Points », 1982.

Henri Mitterand, *Le Regard et le signe. Poétique du roman réaliste et naturaliste*, Paris, PUF, coll. « Écritures », 1987 ; *L'Illusion réaliste*, Paris, PUF, coll. « Écritures », 1994.

Sur le naturalisme

David Baguley, *Le Naturalisme et ses genres*, Paris, Nathan, coll. « Le texte à l'œuvre », 1995.

Yves Chevrel , *Le Naturalisme*, Paris, PUF, 1982.

Sur quelques auteurs

Stendhal

Dictionnaire de Stendhal, sous la dir. de Y. Ansel, Ph. Berthier, M. Nerlich, Paris, Champion, 2003.
Maurice Bardèche, *Stendhal romancier*, Paris, La Table Ronde, 1947.
Georges Blin, *Stendhal et les problèmes du roman*, Paris, José Corti, 1953.

Balzac

Pierre Barbéris, *Balzac, une mythologie réaliste*, Paris, Larousse, coll. « Thèmes et textes », 1971.
Gérard Gengembre, *Balzac, le Napoléon des lettres*, Paris, « Découvertes Gallimard », 1992.
Annette Rosa et Isabelle Tournier, *Balzac*, Paris, Armand Colin, coll. « Thèmes et œuvres », 1992.

Flaubert

Pierre-Marc De Biasi, *Gustave Flaubert, l'homme-plume*, Paris, « Découvertes Gallimard », 2002.
Albert Thibaudet, *Gustave Flaubert*, Paris, Gallimard, coll. « Tel », 1982.
Travail de Flaubert, sous la dir. de G. Genette et T. Todorov, Paris, Seuil, coll. « Points », 1983.

Goncourt

Robert Ricatte, *La Création romanesque chez les Goncourt*, Paris, Armand Colin, 1953.

Maupassant

Marianne Bury, *La Poétique de Maupassant*, Paris, SEDES, 1994.
Albert-Marie Schmidt, *Maupassant par lui-même*, Paris, Seuil, coll. « Écrivains de toujours », 1962.

Zola

Colette Becker; **Gina Gourdin-Servenière**; **Véronique Lavielle**, *Dictionnaire d'Émile Zola*, Paris, Laffont, coll. « Bouquins », 1993.

Henri Mitterand, *Zola et le naturalisme*, Paris, PUF, coll. « Que sais-je ? », 1986 ; *L'Histoire et la fiction*, Paris, PUF, coll. « Écrivains », 1990.

TABLE DES MATIÈRES

Dans la même collection

Collège – Texte et dossier

La Bible (textes choisis) (73)
50 poèmes en prose (anthologie) (113)
La création du monde (anthologie) (163)
Dracula et compagnie (9 nouvelles) (162)
La farce de maître Pathelin (117)
Le ghetto de Varsovie (anthologie) (133)
Lettres de 14-18 (anthologie) (156)
Les mille et une nuits (textes choisis) (161)
Le plaisir de la lecture (anthologie) (184)
La poésie engagée (anthologie) (68)
La poésie lyrique (anthologie) (91)
Le roman de Renart (textes choisis) (114)
Rome (anthologie bilingue) (118)
Victor Hugo, une légende du 19e siècle (anthologie) (83)
25 fabliaux (74)
Voyage au pays des contes (anthologie) (172)
Homère, Virgile, Ovide – **L'Antiquité** (textes choisis) (16)
Alphonse Allais, Marcel Aymé, Eugène Ionesco – **3 nouvelles comiques** (195)
Guillaume Apollinaire – **Calligrammes** (107)
Marcel Aymé – **Les contes du chat perché** (contes choisis) (55)
Honoré de Balzac – **La maison du Chat-qui-Pelote** (134)
Honoré de Balzac – **La vendetta** (69)
Pierre-Marie Beaude – **La maison des Lointains** (142)
Robert Bober – **Quoi de neuf sur la guerre ?** (56)
Robert de Boron – **Merlin** (textes choisis) (164)
Évelyne Brisou-Pellen – **Le fantôme de maître Guillemin** (18)
Alejo Carpentier, Yukio Mishima, Ray Bradbury – **3 nouvelles étrangères** (196)
Blaise Cendrars – **L'or** (135)
Jules César – **La guerre des Gaules** (192)
Raymond Chandler – **Sur un air de navaja** (136)

Molière – **Le bourgeois gentilhomme** (33)
Molière – **Le malade imaginaire** (110)
Molière – **Le médecin malgré lui** (3)
Molière – **Les femmes savantes** (34)
Molière – **Les fourberies de Scapin** (4)
Jean Molla – **Sobibor** (183)
James Morrow – **Cité de vérité** (6)
Arto Paasilinna – **Le lièvre de Vatanen** (138)
Charles Perrault – **Histoires ou contes du temps passé** (30)
Marco Polo – **Le devisement du monde** (textes choisis) (1)
René Réouven – **3 histoires secrètes de Sherlock Holmes** (175)
Jules Romains – **Knock** (5)
Edmond Rostand – **Cyrano de Bergerac** (130)
Antoine de Saint-Exupéry – **Lettre à un otage** (123)
George Sand – **La petite Fadette** (51)
Jorge Semprun – **Le mort qu'il faut** (122)
John Steinbeck – **La perle** (165)
Robert Louis Stevenson – **L'île au trésor** (32)
Jonathan Swift – **Voyage à Lilliput** (31)
Michel Tournier – **Les Rois mages** (106)
Paul Verlaine – **Romances sans paroles** (67)
Jules Verne – **Le château des Carpathes** (143)
Voltaire – **Zadig** (8)
Émile Zola – **J'accuse !** (109)

Lycée – Texte et dossier

128 poèmes composés en langue française, de Guillaume Apollinaire à 1968 (anthologie de Jacques Roubaud) (82)
Le comique (registre) (99)
Le dialogue (anthologie) (154)
Le didactique (registre) (92)
Écrire des rêves (anthologie) (190)
L'épique (registre) (95)
La forme brève (anthologie) (168)

Lycée – En perspective

Cet ouvrage a été composé
et mis en pages par In Folio à Paris,
achevé d'imprimer
sur les presses de l'imprimerie Hérissey
en juillet 2007.
Imprimé en France.

Dépôt légal : juillet 2007
N° d'imprimeur : 105409
N° d'éditeur : 150187
ISBN 978-2-07-034556-4